S0-BFH-444

超越自己

(美)刘墉 著

漓江出版社

我们最强的对手

不一定是别人

而可能是我们自己！

在超越别人之前

先得超越自己！

目　录

前　　言

人生在世，最大的敌人不一定是外来的，而可能是我们自己！

我们难以把握机会，因为犹豫、拖延的毛病；我们容易满足现状，因为没有更高的理想；我们不敢面对未来，因为缺乏信心；我们未能突破，因为不想去突破；我们无法发挥潜能，因为不能超越自己！

其实每个人都有超越自己的经验，在幼儿期，没有人逼我们学走路，我们却试着自己站立，不断跌倒，不断站起，不断试步，终于能从爬的阶段，进入走的时期。然后，我们对走也不满足，又要学习跑。问题是为什么在我们能跑、能跳、能说、能写之后，那原先所具有的、不断超越自己的冲力，竟渐渐消失了呢？

因为这是上天设计的，让我们有了谋

▲纽约史岱文森高中。

生的能力之后，就少有那继续超越的想法。也就这样，我们才会安安静静地作为一个“凡人”。

只有那少数的人会说：“我们不要做一个普通人，我要超越！超越我那看来有限的自己。”于是在这种不信自己办不到的愤怒和努力下，他们将自己提升了。且随着不断地提升、不断地超越，为人类的历史，创造出更辉煌的成就！

这本书里没有什么了不得的经世伟略，却充满一个父亲殷切的叮咛，通过书信的方式，教导他那走向成年的孩子，如何战胜自己的惰性和童年时期的依赖心，在龙蛇杂处的纽约市和充满竞争的明星学校里，找到生存自保之道，并寻求进一步的突破。

文中年轻人所遭遇的问题，岂止是那纽约史岱文森高中的学生所专有？其实也可能包括了你自己！

请以这本书，作为激励的火种，在熊熊的火焰中，使你超越铁，成为钢！

自　序

一九七三年，我写成了第一本《萤窗小语》，由于当时不过二十四岁，自己才离开校门，所以萤窗小语虽说是写给学生，实际等于为同一辈的人说话，也因此很能获得年轻读者的共鸣。

但是随着年龄的增长、生活体验的多样化，许多观点都不再像初出校园那么单纯，整个社会也产生了巨大的变化，为了表达新的认知，也由于许多老读者的催促，我又在一九八六年出版了《点一盏心灯》，试图通过许多趣味性的小故事，引起读者各自的感触，进而有所启发，算是为不同年龄的人所写的一本书。出版两年多来，居然也印到了十几版。

可是就在这两年间，我发现自己的生

活又有了极大的变化。过去听我使唤的儿子，突然间长大了，声音似乎在一夜之间变粗，身高则一下子比我多出了半个拳头。过去我对他是低头训斥，而今不得不变成仰面教诲；以前常“叫”他陪我打球，现在则难得有“聚首”的机会。

我发觉家中唯我独尊的时代过去了，尤其是在孩子进入纽约史岱文森高中(Stuyvesant High School)之后，由我一人发言的时代也过去了，孩子开始有了他的价值观、人生观，不再是父母的财产，而是这社会的财产；更不是父母的影子，而是他自己！

当然，在孩子的转型期，也就是父母的头痛期，像是接力赛，上一代将棒子交下去，交不好，就可能掉在地上。也因此，我不定时地，配合身旁有关的事情，写些信给他，其中的内容可能是我已经耳提面命的，也可能是不便在语言中表达的，写下的目的，是希望他能有多看两遍的机会，并加强他阅读中文的能力。

《超越自己》就是在这种情况下累积而成。由于写作时，我尚未超过四十岁，不但在大学任教，常与青年朋友相处，又兼任电视新闻工作，所以许多观念都是较新的，但也因为我从事中国绘画理论和文史的研究，且有强烈的中国文化自尊心，所以其间必然也有较传统的一面。

史岱文森是美国最著名的高中，今年西屋科学奖的一二名都是那里的学生，在全美入围决赛的三百人中，该校就占了四十七名。我在此介绍史岱文森，不是为了突显自己孩子的优秀，正如我在书中不曾提到他的名字一般，而是因为我觉得国内升学的压力、社会的变迁，可能远非美国一般城镇能比，却正与这纽约曼哈顿的顶尖学校类似。

史岱文森的学生，功课常要做到深夜一两点钟，他们有一个接一个的考试，一个赛一个狠的老师，更需要穿梭在犯罪如麻、五方杂处的纽约市，如果说台湾的年轻人必须削尖了头钻，史岱文森的学生只怕犹有过之。

所以，在这本书中，许多言词是激烈的，许多观点是现实的，许多故事是残酷的。正如我在《你不能失败》这篇文章中所说："马断了腿，当然还能活！但是身为一匹马，不能跑了，就算活着，又有什么意义？"

"你必须成功，因为你不能失败！"

面对这个竞争而纷乱的时代，我强调的是积极的人生观，发挥最大的潜能，将自己带上高峰。虽死无悔、虽败犹荣。

而在整个奋斗的历程中，我认为最大的敌人不是外面的，而是自己，尤其是对那些过去受尽呵护，而必须独立面对未来的年轻人，他们必须战胜自己的惰性和依赖心。这种毛病若不革除，无论在父母的逼迫下，功课有多好，将来也难以成功。

也就因此，我在《现代青年》一文中，从一个小留学生的身上谈到了新的教育观念。我认为未来社会的成功者，必是那种以消费刺激生产，以速度争取时间，以时间争取知识，以知识争取财富，又以财富改善生活，以高级生活设备增加速度的人，而不再是农业时代，抱书慢慢啃，再以考试晋升的寒窗学子。

所以，虽然这些信是写给我的孩子，实际每个年轻人的发展，在其间生理的转变和未来面对的世界，都差不了许多。对于那些父亲甚至母亲难得回家吃晚饭的青少年，我希望这本书能够引导出一些东西。对于为人父母的，我则希望能提出一些个人的想法，供做教育子女的参考。

如我在前面所说，随着孩子逐渐步入成年，我觉得他不再是自己的财产，而属于了社会、国家。同样地，我觉得别人的孩子，步入社会之后，不也是属于大家的吗？

对于孩子的观念，做父母的应该超越自己！

让年轻人发挥最大的潜能，超越他们自己！

则我们的社会也必能超越自己，开创出崭新的局面！

刘 墉 于纽约

ıattan School Are Top Science Winners

Without knowing the force of words, it is impossible to know men.

—Confucius

T HIGH SCHOOL NEWSPAPER

MARCH 1988 TO ALL STUDENTS & TEACHERS

Nayak And Tseng Top The Nation In Westinghouse Talent Search

Seniors Win 1/6th Of U.S. Semifinalist Spots

by Amy Prince

Seniors Chetan Nayak and Janet Tseng captured the top two places in the Westinghouse Science Talent Search, capping off what was the best year any school has ever had in the 47-year history of the contest.

Stuyvesant led the nation with 47 of the 300 semifinalists, nine more than the previous record held by the Bronx High School of Science and 27 more than the closest competitor this year, also Bronx Science. Thirty-five percent of the 134 Stuyvesant applicants achieved semifinalist status, representing about 7 percent of the senior class.

Number of Semifinalists

Stuyvesant 47

Bronx Science 20

Florida 14

California 13

"This is, by far, the best research team I've ever been associated with," said Arnold Bellush, coordinator of student science research.

Five of the country's 40 finalists were from Stuyvesant: Mohamad Ali, Aurika Checinska, Meivile Chen, Mr. Nayak and Ms. Tseng.

Sixteen-year-old Mr. Nayak, who was accepted by Harvard University under its early action program, will receive a $20,000 college scholarship for his first-place showing. Ms. Tseng, 17, was awarded a $15,000 scholarship for placing second. The other three students, who did not place within the top ten, each will receive $1,000 toward their undergraduate education.

The top ten finalists were announced Monday evening in Washington, D.C., following a week in which the seniors were interviewed by eminent scientists and professors who served as judges. During the awards banquet a videotaped message of congratulations from President Reagan was shown.

The school's sweep of the top two awards is unprecedented, according to officials at Science Service, the non-profit organization which runs the annual Talent Search. A Bronx Science student who placed sixth was the only other New York City student who ranked in the top ten.

The finalists' projects were on exhibit this weekend at the Great Hall of the National Academy of Sciences in the capital.

Mr. Nayak worked at home for three months on his paper, "Variational Principle for the *'Already* Unified Field Theory.'" He found a Lagrangian density that enabled him to derive a quantum field theory from the *Already* Unified Field Theory. "I had a lot of fun doing this Westinghouse paper," he said, "because it dealt with a topic I liked."

Ms Tseng studied the antibodies which, due to their absence in AIDS patients, cause a chronic form of diarrhea. She conducted research for a year and a half at St. Vincent's Medical Research Center for her project, "Demonstration of Human Antibodies against *Cryptosporidium* Sporozoites in Immunocompetent and Immunocompromised Hosts."

"I'm a violinist, and I've always loved math and physics, so I incorporated all three in my research," explained Ms. Checinska, who graduated from Stuyvesant in January. The concert violinist worked for one year at the Cooper Union School of Engineering on her paper, "Three-Dimensional Comparison of the Sound Fields Generated by a Violin Using Various Bows and Various Bow Strokes."

Mr. Ali researched his project at Columbia University for a year and a half. His paper, "Experimental

Continued on pg. 15

▲《纽约时报》及史岱文森校刊，对该校学生参加西屋科学奖的报导。

一个娇生惯养，从未出过远门的孩子，从今早开始，每天要坐三个多小时的车子，穿过肮脏黑暗且强盗出没的地区，到曼哈顿的高中上学……

上课的第一天

今天是你上高中的第一天，虽然早晨我没有起来送你，却很清醒地听见你匆忙的脚步声，也知道你似乎有些胃不舒服，想必是因为紧张所引起的。

我知道，你必须先走到巷口去搭Q十七A，再转Q四十四A公共汽车，而后坐F号的地下铁，穿过半个皇后区、曼哈顿城中的河底隧道，经过五十三街向南行，到十四街转L号车到学校。从前两天我带你试坐的经验，这单程就需要一个小时又四十分钟，无怪你的祖母整天坐立不安了。

我也知道纽约的地下铁，是世界上最乱且不安全的地方之一，每天报上总有抢劫甚至杀人的新闻，前两日一个中国人被精神病患者推下铁轨辗死，上星期又有一个女人被车子拖了几十英尺而死。至于你所经过的地方，虽然有世界最繁华的第五街，也有最肮脏下流的四十二街，如果说你每天穿过毒蛇猛兽出没的森林去上学，是绝不为过的。

问题是，对于你这个过去从未一人离开家门超过三英里的孩子，我为什么放着门前的高中不上，却让你冒那么大的危险，每天奔波于曼哈顿呢？

这一方面固然因为你考上了世界名校、有小哈佛之称的史岱文森高中(Stuyvesant High School)，一方面更由于我认为这已是教你出去历练的时候。在人生的旅途上，我们都要走这样的路，穿过这样的危险，去追求自己的理想。甚至应该说，人生的道路是更危险的，因为它只有去，没有回，走的是过去都不曾经历，且只可能经历一次的路，如此说来，你未来四年的通学，又有什么可怕呢？

大概还是为了不放心吧！怕你在回程找不到公共汽车站的位置。我特别算准了时间，到地下铁的出口等你。知道吗？当我看到你惶惶恐恐地走出站时，心中百感交集，兴奋得有如多年不见的父子重逢。而你那惊喜的眼神中，竟也含着泪光。

回程的公车上，你向我抱怨地铁最后两站之间的距离好长，还以为是坐错了车；而上次我带你试走时没能记下的站名，你居然今晚全能如数家珍地背出来。

是的，年轻人！你渐渐会发现，当你一人独行的时候，会变得更聪明；当你离开父母的时候，才知道父母多么重要，

▲地铁站是暗藏危机的所在。

成为你的倚靠、你的盼望。

是的，年轻人！崎岖而黑暗的道路，将使你真正地成熟！

一九八一年三月三十号，当里根总统被刺时，白宫新闻秘书詹姆斯·布莱狄更受到重伤，子弹从他的前额射入，血流满面仆倒在地。

没有人能相信，大脑受此重创的人还能活命。

但是今天，詹姆斯已经能骑马、谈笑。因为……

幽默感

今天看电视时，当我发现你居然说得出每个演员的名字，甚至连他们的家庭生活也知之甚详的时候，开玩笑地问你："喂！请问波姬·小丝(Brooke Shields)的电话几号？"你居然反问："对不起，爸爸！我不知道，但打听很久了，你知道吗？快告诉我！"

我大笑了起来，惊讶地发现，你居然有了幽默感。

有幽默感(With a sense of humor)，这句话在中国或

▲詹姆斯·布莱狄不但克服了伤痛，而且现任美国伤残协会副主席。这是他送给作者的签名照，额头上仍见清楚的手术刀疤。

许并不重要，却是西方社会对人极高的赞赏，因为他不仅表示了受赞美者的随和、可亲，能为严肃凝滞的气氛带来活力，更显示了高度的智慧、自信与适应环境的能力。

幽默像是击石产生的火花，是瞬间的灵思，所以必须有高度的反应与机智，才能灿出幽默的语句，那语言可能化解尴尬的场面，也可能于谈笑间有警世的作用，更可能作为不露骨的自卫与反击。

譬如在议会里发生了老议员以拐杖打人的事，有人提议进场者应该把拐杖挂在门口，这时议长若是接受而诉诸表决，无论结果如何，总是不愉快，幸而他急中生智，笑着说："如果为了防止不正当的动作，就须把拐杖挂在会场门口，那嘴也该挂在门口，手脚也该摆在保管处。"引得全场大笑，提议者也在莞尔的情况下，解决了尴尬的场面。

又譬如伏尔泰总是赞赏某人的作品，某人却总是刻薄地批评伏尔泰，当人向伏尔泰说出这件事时，他只是一笑："我们双方都弄错了！"不过短短几个字，即幽默地解决了尴尬的场面，又做了有力的反击。

我还听过一个故事：美国工人到俄国工厂参观，看到停车场上的轿车，便问那些轿车是谁的。俄国工人回答："工厂是我们工人的，轿车是上面的。"随之反问美国工人，美国工人幽默地说："我们没有你们走运，工厂是上面的，轿车是我们工人的。"两句话的对比，却有了深刻讽刺的意义。

但是我必须强调，幽默并不是讽刺，它或许带有温和的嘲讽，却不刺伤人；它可能是以别人，也可以用自己为对象。而在这当中，便显示了幽默与被幽默的胸襟与自信。

我曾经看过一个秃头者，在别人对他的秃发幽默时，当场变了脸，这一方面可能因为对方幽默不得体，刺伤了他，更可能是因为他原本对秃头有极大的自卑。

相反地，我也见过一位秃头的报纸主编，当别人笑称他聪明透顶时，居然笑答："你小观我也，早就聪明'绝顶'了！"你想，若不是他有相当的自信，又怎可能将就别人的话，幽自己一默呢？

所以，愈是开放而富裕的社会，人们愈富幽默感；愈是闭锁的环境，愈难让幽默存在。不存在的原因，不是人们没有这份智慧，而是没有这份胸襟；不是因为人们有过强的自尊，而是因为色厉内荏的自卑。一个幽默者最重要的条件是完满健全的人格。

一九八一年三月三十号，当里根总统被刺时，白宫新闻秘书詹姆斯·布莱狄(James S. Brady)更受到重伤，子弹从他的前额射入，血流满面仆倒在地。当时许多新闻机构都报导了他死亡的消息，因为没有人能相信，大脑受此重创的人还能活命。

但是，年轻人！就在今天，一九八七年的十一月，我看到电视中的报道，詹姆斯不但已经逐步克服了半边大脑受损的行动不便，骑马与妻子出游，而且一如往日地幽默。访问中，我印象最深的，是他说：

“幽默感，使我能撑下来。厄运是会打击我，但它打不到幽默感的那种深度！”

年轻人！你说，这幽默感是什么？

它是面对不同环境的乐观态度！

他被海关人员以携带毒品走私的罪名逮捕了，他大声对着还在另一个关口接受检查的朋友喊，那人却说不认识他。

防人之心

一个学生去逛百货公司，临出门，突然有个女人匆匆忙忙地跑来对她说："我的肚子痛，必须上厕所，可是我跟我先生约好，他就在门口的一辆白色的车子上等我，能不能麻烦您，告诉我先生一声！"说完并塞了两包东西给她，"这也麻烦您交给他！"

学生还没走出门，就被百货公司的人抓住。她抱着两包没有付钱的贵重商品，吓得呆呆地站在那儿，因为人赃俱获而百口莫辩。至于那先前说肚子痛的妇人和所谓的白车，则消失了踪影。

某人单独旅行，在飞机上遇到一位投缘的乘客，两个人一起下机，提取行李，在通过海关之前，那新认识的朋友说：“我的行李真是太多了，能不能麻烦您帮我带一小件。”单独旅行的人，心想自己的东西反正不多，就一手接了过来。

跟着，他被海关人员，以携带毒品走私的罪名逮捕了。

他大声对着还在另一个关口接受检查的朋友喊，那人却说不认识他。他被架出了海关大厅，悲愤的呼喊声仍然从长廊尽头传入，大厅里的人都摇头，说：

“罪有应得的贩毒者，过去不知道已经带进多少毒品了！”

那飞机上认识的朋友也叹气：“好险哪！我差点被栽了赃！”

你今天对我说，一个许久未见的初中同学，知道你在曼哈顿念书，于是托你顺路带一包东西给下城的朋友，使我想到应该说以上的故事给你听。我的意思，并非教你不要帮助人，而是希望你慎重。尤其是许久未见的朋友，虽然在初中有很好的交情，由于并不了解他近来的生活，那早期建立的信任，也就应该重新评估。

再过二十年，你当会发现，许多学校里的挚友，在久别重逢时，你或许仍然维持着以前的热情，对方却冷淡了，不是他没有了情，而是由于在社会上的种种遭遇，会麻木一个人的感觉，也可能改变他的价值观。相反地，如果你自己遭遇重大的打击或走入歧途，也可能改变你看这个世界的方法。

害人之心不可有,防人之心不可无。在这个人性光辉泯灭与人生价值混乱的社会,你尤其应该慎重。记得有一次我采访中华航空公司在纽约的一个酒会,由于当晚正好有客机直飞台北,便赶到机场,将一包录影带交给华航的朋友,托他们转回中视。

那位朋友对我说:“咱们是老朋友了,这又是华航的新闻,但是为了慎重,我必须打开检查一下。”

日后我经常想起这件事,我不是对那位航空公司的朋友不高兴,而是觉得自己理当主动地先打开包装,让对方检视,而不应该等对方提出。如果他碍于情面未讲,岂不是要在心中嘀咕很久吗?

往后的日子,你必有许多旅游的机会,别人可能托你带东西,你也可能请朋友传递,希望你以上面的几个真实故事作为参考,保护自己,也减少朋友的困扰。

在这个速度的时代，同一时间永远只能做一件事的人，将可能被淘汰！

用时间与用金钱

你问我“用时间的方法”。我的答案是：用时间好比用金钱，如果你知道怎样用钱，也就应该知道怎样用时间。

金钱与时间，在“会用”与“不会用”者的手中，是可能产生天渊之别的。善于理财的人，能够用有限的金钱，买到他所需要的东西，甚至以钱滚钱，创造更多的财富。至于不懂理财的人，则可能毫无计划地使用，东买一点，西添一样，到头来买的东西不少，却可能该有的没有，既买的又无用处。

同样地，会用时间的人，懂得安排时间，按照事情的缓急来支取，到头来，不但完成了他要做的，而且能够留下多余的时间。至于不会用的人，则东摸摸、西磨磨，时间一分一秒地过去，浪费的比利用的多，犹豫的比决断的多，时间永远不够用，事情永远做不成。

这样说,或许你还不懂。那么,让我举个例子吧!

如果我今天给你几千块美金,要你自己出去生活,你要怎样使用这些钱?你不会先去买电脑游戏,也不至于先去看百老汇舞台戏,而是在解决了衣食住行的问题,并缴完学杂费之后,才开始考虑电视和其他娱乐支出,对不对?

于是,当你把自己的开销做成统计图时,会看到有大笔的开支,也有小笔的花费,有必要的支出在先,也有非必要的支出在后。

同样的道理,今天上帝给了你时间,你不能先拿去打电脑游戏和看电影,也不可以先去整理相簿、看小说和胡思乱想,而应该先安排出自己睡眠、上课、读书和通学的时间。因为没有充足的睡眠,你的身体状况不可能好;不花时间乘车,你到不了学校;至于上课、读书,则是你现阶段最重要的事。当然,除此之外,你必须吃饭、交际、消遣,并处理生活上的琐事,只是在整个时间的分配上,前面几项占的分量大,后面几项占的时间少。

我为什么会特别提出所占比例的问题呢?很简单,当你有一笔巨款,你可以考虑买贵的东西。相反地,你的款子少时,自然是买小的东西。一个永远只买小东西,钱多的时候也不买房子、汽车的人,不能算是懂得用钱的人。同样地,如果你支配的每一段时间,都用来做小事,也不能算是会用时间。必须既会利用长时间,完成较大的工作,又知道掌握零碎的时间,做小事情。譬如当有两个月的暑假时,你可以计划做一个参加西屋科学奖的大研究报告。当你有一个星期的假日时,你可以为校刊写篇专访。当你只有周末两天的时间,你就只能做做功课、出去看场电影或邀几个朋友聚会一下。如果你在暑假的"大时间",天天用来聊天、看电影,在周末却想写大的研究报告,就是大小时间不分了!

有一个人总是急急忙忙地做事,朋友问他为什么这么赶,何不轻轻松松慢慢来。他回答:"我做事快,正是为了争取多余的时间。你们看到的固然是我忙碌的一面,其实当我回到家,却有比你们更多的休闲时间,也利用它完成了许多本业之外的理想。"

这个人是以速度来争取时间,他把零零碎碎的"小时间"集中,成为大时间,也就能有较大的用处。比起那些做事总是拖拖拉拉,永远没有较大"空闲"的人,当然要算是知道利用时间的。

我们也时常看见主妇们一面聊天、看电视,一边织毛衣,由于这两种事都属于较轻松的,不必百分之百地集中精神于其中一项,所以她们在同一时间,做两件事。

不过我也知道,有一位著名的女作家,在她年轻时为了争取时间写作,甚至一边煮菜,一面写稿。国画大师黄君璧更总是一面跟来访的朋友聊天,一面作画。这就非要高人一等的功力不可了。由于上帝给每个人的时间都一样,那有过人成就的,往往都懂得这种一时两用的方法。

所以,当你假日起床之后,坐在桌前发呆,说是要想想那一天的时间该怎么安排,就已经是在浪费时间。你何不一面洗脸、刷牙、吃早餐,一边想这些事呢?

我过去作画到深夜,总是先把调色盘和砚台洗净,才安心地去睡觉,但是后来改成了每天起床之后做这些事,因为前一夜已经疲惫,洗砚台时,脑海里一团迷糊,无法再想事情,不如省下时间,早早上床。第二日脑子清醒的时候,再一面洗一面想,许多写作和绘画的灵感,也就在这一刻产生。

或许你要说,做事应该专心,同一时间只能做一件。我想对于念书、算数这件需要高度精神集中的事,确实如此,但如果讲:等公共汽车时不能一边看报,就没有道理了!在何种情况下一时两用、一心两用,必须由你自己去决定。但我要强调,在这个讲求速度的时代,同一时间永远只能做一件事的人,将可能被淘汰。

综合我以上所说的,掌握时间的原则应该是:

一、决定事情缓急、轻重,以优先顺序来安排时间,免得该做的到头来没有做。

二、以大的时间做大的事情,以小时间做小事,绝不将大时间打碎,用来处理琐事。

三、以速度争取时间,将争取到的小时间,集中为较大的。

四、如果可能,在同一时间,做更多的事情,使时间多元化。

你细细想想,这用时间与用钱的道理岂非相去不远吗?

在纽约，有个高中生连续被抢了五次，匪徒没有抓到，学生却得到老师的赞扬，叫同学向他学习——如何面对抢匪，而不受伤害！

面对抢匪

当你今天对我说，班上有个同学，已经在街上被人抢了五次时，我并没有对他遭抢的这件事感到吃惊，倒讶异于他不曾受到一点伤害。

因为抢匪在动手时，往往先会给对方一个下马威，使他失去反抗力。所以能够毫不动粗、抢了就走，必然由于你同学的瘦小，以及他反应方式的恰当。

或许你要说，面对暴徒，居然还要讲究“反应的方式”，是多么没有出息的消极做法。但你也要知道，这消极的反应，却是使你免受伤害，进而能将暴徒绳之以法的积极态度。

也正因此，以打击犯罪为责的纽约市警察局，竟然公布过一项资料，建议市民学习在四顾无援的情况下，如何被抢，甚至如何面对非礼的暴徒。譬如：

男人应立即拉开外套衣襟，露出上衣口袋，请抢匪过来拿或是自己取出钱钞，交给抢匪。但千万不能在不先打开外套衣襟的情况下，伸手进去拿钱，以免对方误认为你在掏枪，而先将你撂倒。至于女人，最好自己将钱取出，而不可让对方动手，以免进一步引起暴徒劫色的非分之想。

他们更建议，当妇女遇到强暴时，可以将手指放进喉头，造成呕吐，甚至脱尿、脱粪，使对方看到恶心的东西，而失去兴趣。

警方更叮嘱，受害者应该做出受害者的样子，不要表现得十分潇洒，更不可说："要拿？全都给你！"这种蔑视的话，否则反而会挨揍。因为即使是强盗，也有自尊，他是要抢，不是要被施舍。

最重要的是：你必须记住他的特征，清点自己损失的财物，并即刻报警！

请不要认为我在教你当懦夫、顺民。因为我要让你知道，如何在这个龙蛇杂处的社会中生存下去。我要你在面对无可避免、毫无反抗力的情况下，放弃那年轻人的血气之勇，而留得青山，开拓未来。

孔子曾说过："暴虎冯河，死而无悔者，吾不与也！"意思是他并不赞同那空手搏老虎和毫无凭借而渡河的人，这种人的死，是毫无意义的。

▲小心被抢！

人生就是如此，我们既要有迎向光明、成功的胸怀，也要有面对厄运挫折的能耐，像韩信少年时由市井流氓的胯下爬过、勾践在被俘时尝夫差的粪便，反而成为大勇的表现。

你要记住，只知刚的人，难免被折断；只有柔的人，到头来终是懦夫；只有那刚柔并济，以自己的理想为目标，而在崎岖坎坷且多荆棘的人生道路上，以最适当的方式来应对的，才可能作为最后的成功者！

一群记者抢新闻，为什么其中一位能提前发表，而且早了许多？

一群导演抢拍动物电影，为什么有人能提前推出，而且又快又好？

事半功倍的方法

一架飞机撞山失事了！

成群的记者冲向深山，大家都希望能抢先报导失事现场的新闻。其中有一位广播电台的记者拔得头筹，在电视、报纸都没有任何资料的情况下，他却做了连续十几分钟的独家现场报导。

电影界突然一窝蜂地拍摄有动物参加演出的影片。虽然大家几乎是同时开拍，但是其中有一家，不但推出得早了许多，而且动物的表演也远较别人精彩。

你知道为什么那位记者能抢个头条吗？

因为他未到现场之前，先请司机占据了附近唯一的电话，挂到公司，假装有事通话的样子，所以当他做好现场报导的录音，跑到电话旁边，虽然已经有好几位记者等着，他却只是将录音机交给司机，就立刻通过电话对全国听众做了报导。

你知道那位导演为什么成功吗？

因为在同一时间，他找了许多只外形一样的动物演员，并各训练一两种表演。于是当别人唯一的动物演员费尽力气，也只能演几个动作时，他的动物演员却仿佛通灵的天才一般，变出许多高难度的把戏。而且因为他采取好几组同时拍的方式，剪接起来立刻就可以将电影推出。观众只见其中的小动物爬高下梯、开门关窗、取花送报、装死促狭，却不知道全是不同的小动物演的。

我讲这两个故事，是为了告诉你，这世间许多"非常的成功"，是以"非常的手段"达成的，那未动手之前的战略和构想，在一起初，就注定了他们的胜利。

同样的道理，我建议你在做每一件事之前，甚至每一天的早晨，对将要做的事情订个计划，而不是在慌慌张张地动手之后才去思想。

上帝给每个人同样的时间，只有那事半功倍的人才能有过人的成就；也只有知道计划的人，才能事半而功倍。

马断了腿，当然还能活！但是身为一匹马，不能跑了，就算活着，又有什么意义？

你不能失败

今天我在学校体育组见到一件怪事，当时球队正为晚上的比赛做练习，突然接到一个队员从地下铁车站打来的电话，说是因为天气一下转凉，他穿的衣服太少，如果站在冷风里等公共汽车会感冒，所以希望队友开车去接他。

从学校到地下铁只有十五分钟的路，真是再简单不过的事，可是你知道球队的教练怎么说吗？

他居然说："电话不要挂，先问他感冒没有，如果还没有感冒，就立刻去接。假使已经感冒，再感一些也不要紧，就自己吹风，坐公共汽车来吧！"

我听了大吃一惊，颇不以为然。岂知教练有他的道理：

"如果已经感冒，今天晚上当然是泡汤了，又何必浪费别人的时间去接，而且影响了大家的练习。本来嘛！迟到就不应该，天气多变，不注意身体，更不应该。自己不小心，且不以团体为重，谁又能管得了他！”

这件事，使我想起国内的一位企业家朋友讲的话。他说：

“在我的公司里，如果一个人四十岁还没有升迁到主任，就永远不必再想这个位子，因为临退休爬上来已经嫌迟，既然不可能再由主任的位子往更高阶层爬，就乖乖地待在下面，免得影响了其他有冲力的人！”

他的理论虽不尽然对，但是跟下面西方哲学家赫伯特的这几句话，不是很相似吗？

“一个人如果二十岁时不美丽、三十岁时不健壮、四十岁时不富有、五十岁时不聪明，就永远失去这些了！”

这个世界是不等人的，它残酷得甚至不能给予失败者一点同情心。

譬如在一组人执行秘密的战斗任务时，如果其中一个不幸受伤而无法继续前进，为了怕他被俘之后泄露军机，造成整个行动的失败，领导者可能不得不将那人灭口。

譬如几个人同去爬山，以绳索相连攀援峭壁时，如果一人失足，悬在半空中，费尽方法不能解救，而其他人却可能因此都被拖下深谷时，只有割断绳索，将那人牺牲。

谁希望受伤？谁希望失足？

谁又能责怪他受伤与失足？

只能责怪命运！而命运常常是残酷的！

相信你一定在电影里看过，当马腿关节受到重创时，主人常不得不将它一枪打死。我曾经问一位马术教练，难道那马断了腿，就活不成了吗？为什么非要置之于死地。

他说："当然还能活！但是身为一匹马，不能跑了！就算活着，又有什么意义？"

以上，我讲了许多残酷的故事给你听，因为你已经到可以接受这种事实的年龄，未来也将面对这些残酷的现实。

"你必须成功，因为你不能失败！"

这是一句非常莫名其妙的话，却有耐人寻味的真理！

名歌星唱得不如合音天使？

名书法家的作品，可能被学校老师评为乙下？

大师的绘画可能被一般的美展退件？

独特的风格

“对门的马瑞诺，不过十七岁，但是他组成的合唱团，已经灌了唱片，而且由全美国最著名的发行公司发行呢！”你在晚餐桌上艳羡又似乎不平地说，“其实马瑞诺的那一套，我要比他强得多，他比我弹琴的技巧差远了！只是按按电子琴键而已。至于作曲，我也早就会……”

好！现在让我说个故事给你听。当我今年夏天在台湾的时候，有一天看歌唱综艺节目，主持人突发奇想，叫一位以声音高亢著称的名歌星，跟幕后的合音者较量一下谁唱的声音高，结果起初几个音还难分高下，后来在不断加高起音的情况下，合音的女孩子都毫无困难地通过了，名歌星却应付得愈来愈艰苦，结果声嘶力竭地败下阵来。

当时好几位一同看电视的朋友都说："真菜！名歌星还不如合音天使，只怕改天要让贤了！"

问题是，那位名歌星还是继续地走红，且唱出了许多叫好的歌曲；而那位合音，还总是站在台侧，偶尔被带到几个镜头而已。

我相信，合音的那位女孩子，不仅长得不差，声音又唱得高，她读谱的能力和对乐理的了解，大概都在名歌星之上，但是为什么出头的却是看来较弱的那一位呢？

答案是：因为那位名歌星有她独特的风格。而独特的风格，往往并不是由许多十全十美的东西所集合成的，甚至可以说，有些独特的风格，从某种角度来看，反是一种缺陷。譬如伊秉绶和金农的字，如果拿到中学交书法作业，只怕要吃乙下；马蒂斯和塞尚如果参加早期学院派的美展，恐怕也会被踢出来。连那李恕权，我都怀疑他若参加合唱团，会不会因为嗓子太哑，而挤不进去。

可是，这些人都成名了！

这又使我想起美国一位著名的模特儿，她是被一个毫不突出的男人，从乡下提携出来的，真可以说是飞上枝头，成为数百万年薪的凤凰。而当有人问那个提携她的男人如何慧眼识英雌时，他回答：

"虽然她并不极漂亮，但是当我带她走进拥挤喧闹的场合时，发现人们都看她，于是知道她有一种特殊吸引人的地方。”

这特殊的吸引力，就是每一位成功艺人的要件。所以，当你比较自己与马瑞诺时，不能只拿单项的条件来比较，而应该注意他在整体表现上所具有的特质，进而建立属于你自己的风格。

此外，我们真该为马瑞诺高兴，过去我总觉得这个孩子有顽劣的倾向，所以限制你与他交往。但是最近发现他变得有礼貌而和善了，这是因为人们愈获得别人尊重，也愈懂得尊重自己。所以我们应该祝福这位曾令我们头痛的邻居，且分享他的光荣。

他们希望你写最深入的作品，却可能整天整夜地打扰你！

他们希望球员的精神饱满、场场奏捷，却可能请球员饮酒通宵！

保护根本

我有一位学术界的朋友，以写政论闻名，成为各大报社约稿的对象，他却对我发牢骚地说：

“我真不了解那些约稿的人，他们白天不停地打电话，晚上又不断地请我吃饭、喝酒，偏偏在喝得已经东倒西歪的时候向我约稿，不但要时事评论性的文章，而且急如星火，隔日就得交件。

“他们也不想想，前一晚喝得酩酊大醉，如何有清醒的头脑写稿；整天应酬、接电话，又如何有时间查考资料？

“所以我装了电话录音，有空再回电话。晚上应酬则多半谢绝，因为今天我不赴约，只要稿子写得好，改天还有得约。相反地，今天我去了，写作的水准降低，连着几次，就再也没人请了！”

听来像是一个笑话，但是那最后两句话，却有极深的道理。你会发现这世上的人是十分奇怪，又非常矛盾的，他们希望你写最深入的作品，却可能整天整夜地干扰你；他们希望球员的精神饱满、场场奏捷，却可能晚上请球员痛饮，三更半夜才让他们休息；他们希望老人长寿，却可能在寿宴上灌酒，并强迫老人吃过量的食物。他们一方面要表现自己尽了奉承之力，使受者盛情难却，背负着情感的包袱；另一方面，却又因为对你有了狂热的招待，而跟着有了狂热的要求。

至于你失败了，他们则可能离你而去。

所以他们心中的哲理可能是：

你成功，所以我们奉承你。由于我们如此地奉承，所以你应该成功。如果你失败，则有负于我们的招待。

不知你听完这段话，会有什么感想？你觉得人们太现实？还是维系成功的不易？

其实这世界本来是如此的。譬如看戏时，掌声会引来更多的掌声，嘘声也可能勾起更多的嘘声。不论我们怎么说“锦上添花，不如雪中送炭”，那添花的毕竟要比送炭的多。

所以，当你获得奉承的时候，千万要注意你为什么被奉承，而且应该知道，如果失去了那被奉承的东西，你也可能失去已获得的一切。

由于你在学校担任指导数学的工作，那些被指导的同学为了表达他们的谢意，纷纷请你看电影，你觉得别人的盛情难却，而一一赴约，使我不得不讲以上的这段故事给你听。

请不要觉得我太现实，否定了人们超现实的一面与友情的价值。但我也必须强调，在任何情况之下，你都要保护自己的根本，如同那位写时事评论的学者所说："今天我不赴约，只要稿子写得好，改天还有得约。相反地，今天我去了，写作的水准降低，连着几次，就再也没人请了！"

这种道理，不仅今天值得你深思，而且可能受用一辈子！

有一天你会发现总是拉你一把的那强有力的大手,居然孱弱而颤抖地伸出来,请求你的扶持;有一天你心中永不衰颓的老人,可能写出最后两个已经难以辨认的字:“救我!”

恒星的陨落

上个星期天下午,看见你祖母坐教会的交通车回来,我叫你出去接,并从窗帘间察看,发现你站在车门前,盯着八十岁的老祖母,颤悠悠地从高大的车上溜下来,竟然不知道过去扶一把。天哪!我当时真是火冒三丈,如果是如此,我又何必叫你出去接车呢?

多日来,我试着平复火气,思索这个问题,并从自己的成长经验中寻找答案,终于在报纸的一条新闻里找到了原因,我发现即使是今天的我自己,也可能犯有跟你同样的错误。

《巨人离席——敬悼一代文学大师梁实秋先生》。

当我早晨在报纸的副刊上看到那巨大的黑字标题时，真是惊恸极了。不仅由于梁实秋先生曾是我们的旧识和家中贵客，且是收藏我作品的知音，更因为他是我最敬重的一位学者。我常对朋友说，梁实秋教授才称得上是真正的才子，因为他不仅从年轻时就成为文艺界的先锋，更毕生致力，直到八十多岁，仍然创作不懈。有些人是一闪即逝的流星，有些人是偶然出现的彗星，梁实秋先生却有如长久不衰的恒星。

但是恒星似乎也有陨落的时刻，虽然他是那么豁达，认为"人死即如烛灭"，更说"死欲速朽，何用铺张"，但是在生命终途的时刻，还是做出最后的挣扎。

当我读到丘彦明小姐记录，梁教授在临终时写下"救我"的纸条，又狂喊"我要死了！""给我大量的氧！"时，我有一种无比的悚动，我不敢相信，这是那位潇洒视生死如浮云的一代大师所说出的话，我甚至有些发怒，责怪他为什么如此不够豁达？而真正应该说，我懊恼他居然毁坏了我心中的文学偶像——永不衰老、永不停笔的梁实秋。

但，人毕竟是要老的，即使在千万人心中不朽的英雄，也会像射出的箭，无论多么强劲，在飞越呼啸之后，总有坠地的一刻。对于崇拜他的人，或许会有短暂无法接受的时间，但终究要承认这个千古不易的事实。

同样地，我发现把你从小照顾到大的祖母，在你的心中，即使已经八十高龄，仍然是那个一如往昔伟大的奶奶。

▲作者用来练习草书的“方块字”卡片。

虽然过去你曾是她一手抱在怀中、一手炒菜的娃娃，而今则已高出她两个头。但在她心中，你仍是娃娃；在你心中，她也仍然是能将你一手举起的超级祖母(Super Grandma)。

问题是，大家都错了！如同我一直到梁教授死去，仍难以接受现实般，我们都应该逐步调整自己的位置，即使这调整是痛苦的，带有英雄偶像破灭的感觉，但若不这样，世界如何继往开来、新旧交替呢？

年轻人！有一天你会发觉，总是跑在你前面，被你同学称为“不累的机器人”的父亲，居然会跟在你身后狂喘；有一天你会发现别人买你的面子，却不再买你父母的交情；有一天你会发现总是拉你一把的那强有力的大手，居然孱弱而颤抖地伸出来，请求你的扶持；有一天你心中永不衰颓的老人，可能写出最后两个已经难以辨认的字：

“救我！”

年轻人！扶你的祖母一把！在外出时，为她探看前面的路，预警每一块不平的地面，并为她推开厚重的门，说：

“小心！别辗了手！该带的东西带了吗？”如同老人家以前对你说的一般。

这样，你就真正地成熟了，而且老一辈也便可以安然地离去，因为留在你心中的，是他们不朽的精神形象，而非暂时的肉体衰逝！

书印好了，就是死的，人脑则是活的。你必须将这些死的资料，用最有效的语言、方法，输入你的脑中。

读书的方法

今天你问我该怎么念书。如果你指的是读课本、考高分，我想自己是没有资格回答的，因为我高中的学业成绩并不好，全靠联考之前的猛力冲刺，才进入师范大学。但是，我又想，说不定这种冲刺的经验，倒可以供你参考。

我觉得脑子里一定有个死角，因为念书时，常有些东西硬是进不去。碰到这种情况，我绝不硬背，而将那正面的冲突改为消耗战。方法是将背不进的要点，写在课本靠近页边的位置，每次读书之前，先快速翻阅一遍，使那些字闪过脑海，仿佛分期付款，一个月下来，自然就记住了，反比那硬背的东西结实。

我也利用谐音的方式来记东西，这是从初中起许多学生就使用的方法。譬如"危险"是"单脚拉屎"(Dangerous)、

“大学”是“由你玩四年”(University)。又譬如我背长江沿岸的十个二等港,只用了一句话“政无安九月常常杀一万”,意思是“政治不安定,九月秋决时处死的人往往高达一万”,虽然句子没有道理,却让我到今天还能记得“镇江、芜湖、安庆、九江、岳阳、长沙、常德、沙市、宜昌、万县”,有人大为惊讶,封我为“电脑”,岂知我是用了特殊的读书方法。

如果你到我书架上找,当会发现一大包“方块字”。以小纸片做札记,和以方块字帮助记忆,是我至今仍用的方法。譬如近来临习明朝韩道亨的《草诀百韵歌》,由于草字与楷书的笔画顺序有很大差异,许多字不易记得,我就将它们制成方块字,正面写楷书,背面写草字,口袋里揣上一把,随时摸出来,看到楷书就想草书,见到草字则加以辨别,倒也能事半功倍。

此外,古人有所谓的“锦囊集句”,方法是将平日的灵感写在小纸条上,先投入锦囊,有空时再取出来整理,将断片的灵感集合为大的篇章。我也采取这个方法,不论乘车、走路,甚至上厕所时,只要有灵感,就写在随身携带的小本子或名片背后,统统集中在一个地方,虽然很可能一两年之后,才有暇拿出来整理。但是就用这个方法,我在百忙中居然能写成七本《萤窗小语》和《点一盏心灯》。如果我不知道把握每一个小灵感而任它飞逝,怎么可能有这些成绩呢?

还有一点,在这个知识爆炸的时代,你会发现书念不完,在做学问时却又需要有广博的涉猎,所以你必须懂得整理繁杂的资料。书买回来，即使没时间细看，也要将前言、目录翻过。碰到问题时，可以回想曾在某书见过相关的资料，而找到需要的东西。

同样的道理，百科全书的检索目录，各种字典、辞典、植物典、句典、名典、世界历史年表、地图，也是必备的。甚至像国家地理杂志这类书，由于资料丰富，很具有参考价值。为了检索方便，你也可以去函购一本数十年来的目录。纽约时报集合各种重大新闻的《首版集成》(Page One)和百科全书的年鉴也很有用。

总之，书印好了，就是死的，人脑则是活的。你必须将这些死的资料，用最有效的语言、方法，输入你的脑中。并将这些资料放在身边，如同电脑磁碟一般，随时等你插入，将你要的东西整理出来！

每个人都有他自己读书的方法，我只是将自己的提出来，供作参考。如果你的程序语言(Language)更适用，当然还是用你自己的比较好。

KING CHARLES VI DECLARES HUNTING MONTH

—Nobles and peasants alike encouraged to hunt for sport.

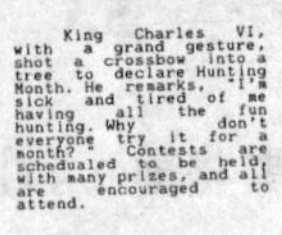

King Charles VI, with a grand gesture, shot a crossbow into a tree to declare Hunting Month. He remarks, "I'm sick and tired of me having all the fun hunting. Why don't everyone try it for a month?" Contests are schedualed to be held, with many prizes, and all are encouraged to attend.

Here is a schedual of upcoming tournaments, featuring jousting, archery, horseback riding, swordfighting, and special carnivals celebrating the Truce, to be held in these towns:

June 23 - Bourges (Preliminaries)
June 25 - Toulouse (Preliminaries)
June 30 - Bourges (Semi-finals)
July 3 - Toulouse (Finals)
July 15 - Bourges (Finals)
July 17 - Gloucester (Preliminaries)
July 22 - Gloucester (Finals)

SOLDIERS ARE TAKING UP ARMS FOR ANOTHER PURPOSE — HUNTING

KNIGHTS PREPARE EACH OTHER FOR UPCOMING TOURNAMENTS

And The Winner Is . .

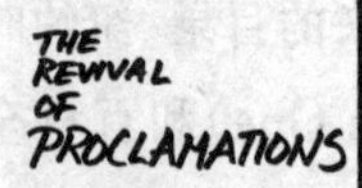

THE REVIVAL OF PROCLAMATIONS

Jeanne de Bordeaux
Entertainment Editor

Lately, we see a revival of an old form of entertainment during the war: Proclamations. The practice of Proclamations began during the reign of Edward III, who often used them as propaganda.

Proclamations are stories which describe, in simple laymen terms, such events as the taking of Calais or the Battle of Crecy. They were recited in town squares and market places, often attracting large audiences.

Today these proclamations return with less political tone but in a more colorful and interesting manner, establishing itself as a popular form of entertainment.

The Up & Coming In—

Armor

With the war over, people can expect to put down their armor except for tournaments and other festive occasions. Expect to see more elaborate headpieces, dangling ornaments, and the like. Presently, the armor worn by the French knight is slick in design and practical. The armor featured here includes large plates shaped to fit the torso, with velvet covering some areas. The entire suit is composed of 64 plates and weighs a mere 40 pounds.

In art, the rich now enjoy elaborate carvings for their chest fronts. Weaving tapestries are also presently in style, with many people purchasing them to adorn the interior of their huts.

Tin-enameled earthernware English

Lead-glazed earthernware (Ewer) French

Household wares

Practicality takes to artistry these days, as earthernware are made with specially ornamented caps, with smooth but sturdy curves.

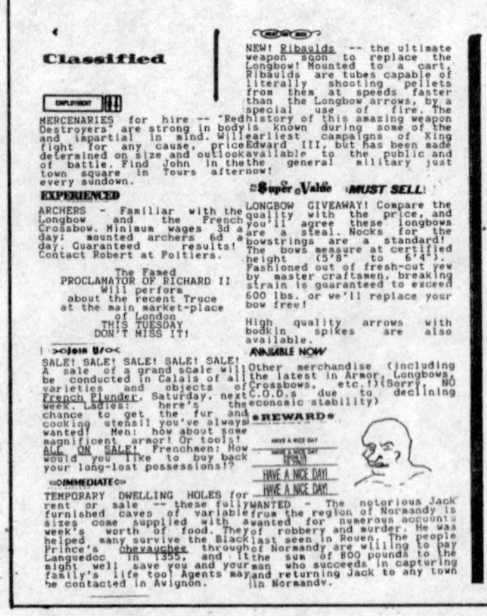

Classified

EMPLOYMENT

MERCENARIES for hire -- "Red Destroyers" are strong in body and impartial in mind. Will fight for any cause, price determined on size and outlook of battle. Find John in the town square in Tours every sundown.

EXPERIENCED

ARCHERS - Familiar with the Longbow and the French Crossbow. Minimum wages 3d a day; mounted archers 6d a day. Guaranteed results! Contact Robert at Poitiers.

The Famed
PROCLAMATOR OF RICHARD II
Will perform
about the recent Truce
at the main market-place
of London
THIS TUESDAY
DON'T MISS IT!

Join Us

SALE! SALE! SALE! SALE! SALE! A sale of a grand scale will be conducted in Calais of all varieties and objects of French Plunder, Saturday, next week. Ladies: here's the chance to get the fur and cooking utensil you've always wanted! Men: how about some magnificent armor! Or tools! ALL ON SALE! Frenchmen: How would you like to buy back your long-lost possessions!?

IMMEDIATE

TEMPORARY DWELLING HOLES for rent or sale -- these fully furnished caves of variable sizes come supplied with a week's worth of food. They helped many survive the Black Prince's chevauchee through Languedoc in 1355, and it might well save you and your family's life too! Agents may be contacted in Avignon.

NEW! Ribaulds -- the ultimate weapon soon to replace the Longbow! Mounted to a cart, Ribaulds are tubes capable of literally shooting pellets from them at speeds faster than the Longbow arrows, by a special use of fire. The history of this amazing weapon is known during some of the earliest campaigns of King Edward III, but has been made available to the public and the general military just now!

Super Value MUST SELL!

LONGBOW GIVEAWAY! Compare the quality with the price, and you'll agree these longbows are a steal. Nocks for the bowstrings are a standard! The bows measure at certified height (5'8" to 6'4"). Fashioned out of fresh-cut yew by master craftsmen, breaking strain is guaranteed to exceed 600 lbs. or we'll replace your bow free!

High quality arrows with bodkin spikes are also available.

AVAILABLE NOW

Other merchandise (including the latest in Armor, Longbows, Crossbows, etc.!)(Sorry, NO C.O.D.s due to declining economic stability)

REWARD

HAVE A NICE DAY!
HAVE A NICE DAY!

WANTED - The notorious Jack from the region of Normandy is wanted for numerous accounts of robbery and murder. He was last seen in Rouen. The people of Normandy are willing to pay the sum of 800 pounds to the man who succeeds in capturing and returning Jack to any town in Normandy.

BUSINESS

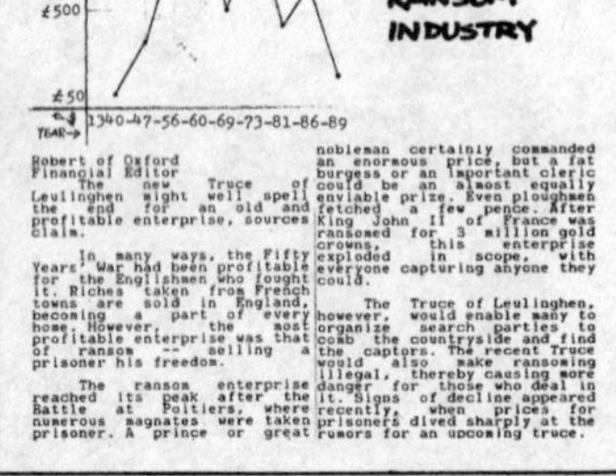

TRUCE PROVES DEADLY FOR RANSOM INDUSTRY

Robert of Oxford
Financial Editor

The new Truce of Leulinghen might well spell the end for an old and profitable enterprise, sources claim.

In many ways, the Fifty Years' War had been profitable for the Englishmen who fought it. Riches taken from French towns are sold in England, becoming a part of every home. However, the most profitable enterprise was that of ransom -- selling a prisoner his freedom.

The ransom enterprise reached its peak after the Battle at Poitiers, where numerous magnates were taken prisoner. A prince or great nobleman certainly commanded an enormous price, but a fat burgess or an important cleric could be an almost equally enviable prize. Even ploughmen fetched a few pence. After King John II of France was ransomed for 3 million gold crowns, this enterprise exploded in scope, with everyone capturing anyone they could.

The Truce of Leulinghen, however, would enable many to organize search parties to comb the countryside and find the captors. The recent Truce would also make ransoming illegal, thereby causing more danger for those who deal in it. Signs of decline appeared recently, when prices for prisoners dived sharply at the rumors for an upcoming truce.

▲史岱文森学生以现代方法，为古人编的报纸。

最好的老师，教你活的学问，且由其中引导出更宽广的天地。

活的历史

听完你讲述历史老师给的假期作业，实在令我佩服他。

相信你们现在正念到欧洲的百年战争，所以老师会教你们假设自己是生在那个时代，而又身为报纸的主编，以现代的方式，来编写一份当时的报纸。

于是你们要写社论，根据事实绘声绘影地写专访，配插图、漫画、气象预报，甚至还杜撰几个广告。为此，你们必得熟读历史，找到那时的绘画作品，追索当代的风俗习惯，并了解地理位置，否则就画不出插图、勾不出气象、模拟不出专访的内容。

在这个过程中，你们兼习了报纸的编辑方法，加强了写作的能力，了解了时事漫画的制作，甚至版面和广告设计，也成为必须注意的。尤其重要的是，它使你们发挥想象的能力，把课本上读到的史实，活生生地展现。

那看来冷冰冰的人名、地名和原先与你们毫无关系的事物，都将被重新赋予生命。你们甚至经过层层的推想和由当时的文献资料，竟能感受到时局与个人的息息相关。于是人性流露出来，在大时代的变迁与小儿女的亲情之间，你们也可能写出有血有肉的故事！

最好的老师，不是只教你如何考高分的，也不是严格规定你死背的老师，而是引出你的兴趣，像磁铁般，带出更多有意思的东西，且在这过程中发掘你的潜能。

最好的老师，教你活的学问，且由其中引导出更宽广的天地！

每个人的生命中都可能遇到贵人，这些贵人不一定真的尊贵，他可能是陌生人，也可能是你的敌人！

贵人哪里来

“贵人”这个名词，相信你早就知道了，因为三年前，有一次家里请客，我事先对你说，受邀的客人是我以前的贵人，因为他的帮助，使我有后来的成功。你当时虽然并不十分了解，却在餐桌上对着客人说：“我爸爸讲，你是他的贵人！”

我当时看得出来，那人听了有多么高兴，因为他知道我没有忘记他以前的好处。但我后来也听说，他的太太回家跟他大吵一架，说他自己连个固定的工作都没有，怎会是别人的“贵人”？

他的妻子错了！因为能做贵人的，自己不一定多么尊贵；当我们要找自己生命中的贵人时，也绝不见得要到世俗所谓荣华富贵的阶层去寻觅。许多贵人，都出奇地平凡，而平凡的我们,也随时可能成为别人生命中具有重大意义的“贵人”。甚至当我们成为别人的贵人时,自己都还不知道呢!

从前有个人写信给燕国的丞相,因为光线太暗,就叫仆人举烛,一不留意,把“举烛”两个字,也写入了信中,等到燕国的丞相收到信,读到“举烛”两个字,竟然大为感动,说“举烛”的意思是要求光明,也就是要拔擢贤才,并以此报请国王采用,使得燕国强盛起来。

传说李白起初做学问很没有耐性,直到某日,看见一位老妇,居然想将一支粗铁条磨成绣花针,才顿时醒悟,回头苦练,成为诗仙。

米盖朗基罗在画西斯汀教堂时,有些不满意自己的成绩,却又因为完成大半而舍不得重新画,直到有一天去喝酒,看见老板毫不犹豫地把新开的一大桶坏酒倒掉,终于下定重新画过的决心,成就了不朽的作品。

以上写“举烛”的郢人、磨针的老太太和酒店的老板,可知道自己无意中的行为,竟能造就了别人?而他们何尝不是燕国、李白和米盖朗基罗的“贵人”呢?

又譬如我有位朋友出国旅行,临上飞机发现旅行社的小姐竟把他最重要的签证资料遗失了,他起初大发雷霆,要求赔偿损失,但是后来又跑去向旅行社道谢,说犯了错的小姐是他生命中的贵人。原来他没赶上的那班飞机发生了空难。

你想想，由犯错，到成为别人的救命恩人，这当中有多么大的转变，岂是当事人预先所能知道的？

再拿我最近的遭遇来说吧，当我的《点一盏心灯》写作到中途的时候，有位朋友来访，看了我写好的稿子说："这些东西太软，缺乏吸引人的力量！"

虽然你的母亲说，那位朋友可能是嫉妒我的成绩而讲出酸葡萄的话。我当时也有些不悦，但细细检讨之后，发现确实有许多篇可以改换写作角度，以造成更大的戏剧性和说服力，所以将已经写成的三十多篇全部抛弃重写，使《点一盏心灯》成为畅销而且长销的作品。

由此可知，在我们的四周，到处都可能发现自己的贵人，他们不一定是直接提拔你的尊长，反而可能是毫无关系的陌生者、一面之缘的过客，甚至你的敌人，只要你能在他们的身上领悟到重大的事务，以至导引你走向更好的未来，或由于因缘，使你免于原本可能发生的厄运，就都是你生命中的"贵人"。

所以，不要轻视任何人，也不要轻视自己，因为那平凡的人可能是你的贵人，你也可能成为别人的贵人！

一位留美学生，在飞机上开了个小玩笑，引来近百的警察，被铐上囚车，并面临十五年的徒刑……

无心的错误

有一个年轻的留美学生，在从佛罗里达到纽约的飞机上，笑嘻嘻地递给空中小姐一张纸条，写着“我身上有炸弹，我要劫机”。

空中小姐笑了笑，把纸条还给那个留学生，便离开了。几分钟之后又转回来说：“把你刚才那张纸条再给我看看！”并取走了纸条。

当飞机降落时，地面上近百的警戒人员，真枪实弹地把飞机层层包围。虽然那个留学生大喊：“我只是开个小玩笑，当我递纸条时，四周的人都朝着我笑，知道只是闹着玩，他们可以作证！”但是没有用。

他被押上囚车送审，并面临十五年的徒刑。

当我刚从台北回到纽约时，你的母亲就告诉我这个报上才登过的新闻，并在说完之后，十分感慨而同情地讲：

“这个年轻人多可怜哪！我相信如果坐在飞机上的是我们的儿子，而他的朋友又怂恿他开这个玩笑，他也可能会做的！”

对了！这是最令人心悚的一句话，也实在是她讲述那个新闻给我听的真正原因。我们都知道年轻人常会犯下无心的错误，偏偏那错误常会造成终身的伤害，而难以弥补。

问题是，什么是无心的呢？醉酒驾车肇事的人是有心杀人吗？偶尔试一次毒品，作为体验生活方法的人是有心犯罪吗？考试时受不住朋友请托而传个纸条的是恶意犯规吗？

但是这些都没有坏动机的行为，却可能犯了杀人、吸毒、考试作弊的罪行，它们有重有轻，但同样在生命中留下了污点。

至于今天我为什么要跟你说这一大篇，相信你早就心里有数。因为我在后院整园子时，发现地上插了许多冲天炮的细竹条，才知道你居然趁父母不在的时候，请你的朋友凯尼来放炮。

你明知在纽约放炮是违法的，也知道这种处处朽叶、天干物燥的冬天容易失火，却答应朋友用我们邻接树林的院子做掩护。可曾想想如果引起了火灾，不论是烧了自己、别人或是后面的森林，我们所要承受的损失与法律责任会有多大！

你必然记得几年前，你经过一户人家，两个人正试着开门锁，你过去看，他们对你说不知是不是锁坏了，打不开。而你居然热心地帮着他们开。

你也必然记得有一回凯尼带着具有杀伤力的弓箭，拉你去小公园练习，造成邻人报警，一下子赶来三辆警车的事。

前两天，我居然看到你的朋友把几可乱真的玩具枪留在我们的树丛里，又发现家里的花盆被他们当靶子，打得像蜂巢一般。

而对所有的事情，你给我的解释都是："他们没有恶意，我也无心！"

现在你应当知道，那无心却可能有恶果。如果开锁的人是贼，你就是共犯；若是凯尼的弓箭和朋友的气枪伤了人，你也脱不开干系。今天你还小，如果当你长大之后，还不能慎交朋友，又不懂得审度自己的行为，只怕那无心，就会惹下天大的麻烦。

最后，让我告诉你一个十年前的往事：

就在我来美之前，突然接到以前一个学生的电话，我清楚地记得他惊惶的声音，说一个朋友欠他钱不还，他明知对方是有钱而想赖，所以找朋友帮忙，把欠钱的人抓住，逼他家里还钱。他认为自己没有错，动机也只是想要回属于他的钱。可是对方家人报警，他成了掳人勒赎的通缉犯。

之后我没再能跟他联系上，又很快地离国，但是十年来每当我看到没有前科、家世良好的年轻人，因为一时糊涂而犯下大错时，都会想起他，想到他刚念一半的大学，与暂时被断送的前途。

记住！年轻人，“无心”往往就是一种错误！

如果由于你在课堂上据理力争，
得罪了老师，而被“死当”，我仍然要
为你竖起大拇指！

据理力争

这两天看你的神色不对，心想一定是在学校有了什么麻烦，而当你在我的逼问之下，说是因为跟新的英文老师辩论评分方法，老师词穷之后，似乎对你不高兴，而不太理会你，甚至当你有疑问举手时，都装作没看到时，我不得不说：

“好极了！年轻人，我支持你！”

相信你十分惊讶于我这个看似老古板的人，会有如此表示。但是你要知道，向一切不合理事务抗争到底，为维护真理绝不屈服，也是我从来的处事态度。我相信这种精神，是民主社会人人都应该有的，而对于自己信仰和真理的坚持，更是每个成功者必须具备的条件。乡愿可以成功，但那成功必不够伟大；狂进的人可能失败，但那失败往往壮烈。所以只要你的态度和缓，作有风度的君子之争，即使是向权

▲我大学一年级，在教室后面见到的巨幅国画，是林崇汉的作品。

威不可侵犯的老师争,我也支持。

记得我在高中时,虽然考试成绩不错,作业也极佳,一个数学老师却以我经常去办校刊,或代表学校外出参加比赛,以致上课缺席为由,给我很低的分数。当时我甚至气得想把实验解剖的青蛙放到她的抽屉里。

当我进入师大美术系的第一天,看见教室后面挂着一幅相当好的作品,问教授那张画在系展中得了第几名时,教授说画是可以得第一,但因为这个学生总是溜课,所以给他第二。我曾立刻表示,如果比赛只是就作品来论,画得好就应该给他第一,当场使教授不太高兴。

当我初来美国,有一次在南方坐长途客运车,位子被划在最后面,上车却发现前面有许多空位时,曾立刻去售票处询问,是不是为了种族歧视,把我这个黄种人放到厕所旁边,于是获得了前面的位子。

当我暑假回国发现我们住的大楼在管理上有许多不合理处时,曾立刻邀集了两位住户,分别拜访一百多家,举行了管理委员会的成立大会。而其间遭遇到许许多多的阻力,甚至同楼住的亲戚都坚持反对,认为我多管闲事。

正像你所说,老师评分方法不公平,虽然同学们都不服,却不敢说,只有你提出来,并逐项与老师辩论。随着年龄的增长,你会发现有道德的人不少,但是有道德勇气的人不多,问题是如果没有人敢挺身出来抗争,不公的永远不公,委屈的永远委屈。所以我自己是,我也支持你作为一个有风度的抗争者。

在此你要注意，我说有风度的抗争者，那“风度”是其中极重要的两个字。当我们看美国总统大选辩论时，评论员往往把辩论者是否从头到尾面带笑容这件事列为优先，也就是说，即使在你激动而义正辞严的时候，也要维持自己内心思路的清晰冷静，及应该对事不对人，尊重那与你抗争的人。因为你争的是理，不是去毁损对方的人格。

当然我也必须告诉你，作为一个带头的抗争者，往往也是最早牺牲的。我曾经在学校里因为跟两位教授辩论而失去做全 A 毕业生的机会，也曾经被“死当”而几乎无法毕业。我也是小学时班上两个被美术老师打手心的学生之一。但是我并不恨他们，因为如果我自己理直，他们没有风度接受，是他们的错；如果我理屈，则我自己应该反省。在强烈的抗争之后，冷静地思考一下，作为改进或激励自己的一种方法，总是会有收获的。而我自己今天做教授，常被学生气得里面冒火，却不得不压下来，并回家自己思索，何尝不是由学生时代的经验中，作为换一个人设身处地的想法。

我自己绝不会因为学生为理辩争而扣那个学生的分数。我可能一时不高兴，但不会一直不高兴，尤其是当我知道学生是对的时候，反而感谢他的指正，甚至佩服他的勇敢。我确实可能不喜欢他，但却欣赏他，更知道在未来的茫茫人海中，放出异彩的，往往不是班上的书呆子，却是这种具有风骨与胆识的人。

所以只要你能心存恭敬，以学生应有的礼貌，举出自己坚信的道理，据理力争，就算这一科覆没，我也为你竖起大拇指，并希望你由愤懑不平中，激发力量，未来在这覆没的一科中有出人的成就。至于如果因为老师不讲理，而使你意兴阑珊、放弃努力，你只有成为一个真正的失败者。

露出开朗的笑容，或许你会发现那老师明天也会对你这个不平凡的学生笑了！

美国大学在每年寒假，常为一种转学生烦恼，因为那些孩子可能有特优的高中成绩，以及最差的大一上学期分数。

当头棒喝

你的母亲对我说，最近你常在车上以很坏的态度抱怨自己要到远处上学。她说若不是因为在开车，一定要气得赏你两记耳光。

你的祖母，最近也常对我表示，早上叫你起床，是一件很难的事，因为总要催促四五次，你才能起得来。

我当时心想，如果你母亲在你抱怨时，立刻把车停在路边，赶你下去，由你决定是回家，还是上学，然后自己想办法的话，只要一次，你就再也不会在车上抱怨，因为你由处罚中知道，能有母亲开车送你到地下铁，已经是很幸运的事。

至于你祖母，如果有一天，她只叫你一回，便不再催，妈妈的车子更不多等，使你迟到几次，你也会立刻改正那种屡催不起的毛病。

我几乎可以想象，当你站在高速公路旁，或自己突然自梦中惊醒，却发现四顾无援的情况，会有多么地慌乱。但是我也相信，这种经验必使你终生难忘。

问题是，她们都不忍心这样做。也因此，造成你得不到教训，而不知改正；得不到棒喝，而不能顿悟。

每年在开学之后两个礼拜，理当已经没有人注册入学，却可能是美国大学入学组很忙的时刻。因为他们年年发现，这时会有许多原来怀着梦想离开家门，到远方念书的学生，一把鼻涕、一把眼泪地跑回家，再于父母的陪同下，到附近的学校申请紧急入学。原因很简单——他们发现离开家的日子难过。

每年寒假，美国大学的入学组，也常为一种转学生烦恼，因为那些孩子可能有特优的高中成绩，以及最差的大一上学期分数。原因也很简单——

因为他们在家里被逼惯了，每天一进家门，父母先问有多少功课，然后便一样一样盯着做。他们的时间，理当由自己来安排，却成为了父母的事，当有一天自己到外埠念书，没有人逼的情况下，事事都失了方寸，自然一落千丈。

我常想，今天这些孩子在父母的呵护下，进入附近的学校就读，固然又会被导上轨道，可是当他毕业之后，怎么办？也正因此，我们可以讲：学校里成绩好的学生，除非他是完全自动自发的，否则没有人能保证，他到社会上，还能站在前方。

因此,我今天做了个决定,尽量不问你学校的进度,不叮嘱你去做功课,不催你去弹琴,也不叫你起床。我也愈发坚定了一个信念:让你到曼哈顿去上学,不要总是距家人太近,是正确的选择。

父母不能帮你走未来的路!

一个研究所的教授，在课堂上说：“秦始皇是坏人！”这句话引起了许多研究生的反感，因为那是研究所，不是幼稚园……

极端的印象

两个同在纽约作过短暂停留的朋友，提到他们的观感，一个人说纽约是世界上最浪漫的地方，他希望能有机会长住些时；另一个人却说纽约是人间的地狱，要他多待一天也不愿意。

为什么他们对纽约有这么不同的感觉呢？

喜欢纽约的说，他下飞机之后，朋友先带他到皇后区的自宅歇脚，并叫计程车去大都会美术馆（Metropolitan Museum of Art）。在美术馆对面用过餐，然后沿着中央公园走到繁华的第五街，看了川普大厦（Trump Tower）、IBM的竹林庭园，转过洛克菲勒中心（Rocke-feller Center）的溜冰场，再登上帝国大厦（Empire State Building）的顶楼，欣赏曼哈顿的夜景，而后叫车回家。

痛恨纽约的则说，他下飞机之后，朋友叫计程车送他去四十二街附近的一家旅馆，再带他由中央车站乘地铁到自然历史博物馆(American Museum of Natural History)，而后坐地铁到下城吃饭，再去世界贸易大楼(World Trade Center)顶层欣赏曼哈顿夜景，又去时代广场，逛了成人商店，而后送他回旅馆。

现在你应该知道，他们对纽约的观感为什么有那样大的差异了！虽然接待的朋友都花了不少钱，也都带他们逛了世界最著名的博物馆和最高的建筑，但是前者住在安宁的住宅区，看到的是幽静的中央公园、豪华的商店、富丽的建筑和干净的市容；后者却见到了肮脏的地铁、杂乱的下城、藏污纳垢的时代广场，且领教了旅馆附近的嘈杂。

问题是：若非再有机会到纽约，这种观感就可能在他们的心中维持一辈子。由于是他们亲眼所见、亲身所感，所以每当他们提到纽约，那好极了与坏极了的评语，必是斩钉截铁的。

我们不是常听人斩钉截铁地说“某人是好人”或“某人坏透了”一类的话吗？他们也是亲眼所见、亲身所感，但是如果以纽约的例子来想，你认为他们说得对不对呢？

请不要觉得我是小题大做，因为犯这种以偏概全的毛病的人真是太多了，我们甚至可以讲每个人都会这样，甚至不经过亲身的观察，而以自己的推想，或得来的小道消息，来评断事情。

这样做,受到损失的是谁呢?

是那印象偏差的,也是那被偏差了印象的。因为前者很可能一辈子不会再想去接触、去了解,他失去了访问一个美丽的地方和结交一位好朋友的机会;后者则可能被永久地误解,连申辩的机会都没有,且以讹传讹地遭到更大的伤害。

这世上有什么十全十美的呢?愈干净的城市,它排污水的系统可能愈庞大;愈见不到垃圾的地方,可能愈有一个堆积成山的垃圾场;连人体都有动脉与静脉,谁能因为觉得那"青筋"看来讨厌而将静脉切除呢?

所以,我们不论看人、看事,甚至听别人论断事情,都要有一种客观审度的态度。古人说"尽信书,不如无书",我们也可以讲"尽信人,则无己",如果别人说的一切,我们都相信,自己的观察力不是白费了吗?

记得我在的研究所中的一个教授,曾经在课堂上说:"秦始皇是坏人!"引起了许多研究生的反感。因为那是研究所,不是幼稚园,研究的是客观的史实,而非给予主观的评断。当教授未举史实,而骤下评语,说"秦始皇是坏人"这句话的时候,除了显示他的强烈主观,也漠视了学生的判断力。

由于听你十分主观地评论同学,我才说了这么一大番道理。因为它关系你的一生,也关系你一生接触到的人与事!

我曾经一次劈裂成叠的灰瓦，一巴掌打断学校的桌角，也曾经一次劈断两块新烧的红砖！但是……

空手道

今天下午我们在收拾完院子之后，你捡了两块瓦片来，要求我以空手道的方式劈断，而当我轻易地做到之后，你眼睛里闪着异样的光彩，一再追问我该怎么学，以及我从什么时候开始练。

我想每个男孩子到了十三四岁，都会开始有尚武的精神，我也不例外，常看武侠小说，想象上山拜师习艺，成为为四方除害的侠客，羡慕那书中描述的剑眉、星目、齿白唇红、鼻若悬胆，宛如玉树临风的青年高手，也便拿些棍棒挥舞，更试着劈砖，甚至买些《少林秘笈》、《易筋经》一类的杂书，依着样子比画。

劈砖应该是我练得最久的一项了，主要的原因是可以炫人。实际两年下来，也真有了一点成绩，我曾经一次劈裂成叠的灰瓦,一巴掌打断学校的桌角,也曾经一次劈断两块新烧的红砖。但是,有一回同学拿了拆老房子剩下的日据时代的红砖,我却把手劈得通红,也伤不了砖块分毫。

你要知道,当我们空手劈东西的时候,如果东西应声而断,手上的力量完全出去了,自己便毫无损伤。相反地,如果东西不断,那使出的力量,便完全弹了回来。用的力量愈大,伤害也愈大。

记得高一的时候,同学常拿些木条、砖块来请我露一手,为了面子,我也就不得不硬着头皮,对付那自己没有把握的东西,而在回家之后,彻夜地忍受着手掌的疼痛,且在次日仍然装做若无其事的样子。渐渐地,我发觉,作画时有手抖的现象,甚至连画山水当中的小东西,都有了问题。我更渐渐想通,只有一只右手练成铁沙掌,真碰到状况,一心想对手把身子好端端地伸过来让我对准了劈,不但不可能如愿,而且只怕自己会先吃亏。这种偏在一处的武功,实际是不值得仗恃的,也便停止了练习。

所以,当你今天问我该怎么练时,我要再三强调,除非你能找到真有功夫的好老师,做整体的锻炼。如果只是像我当年硬是拿肉掌劈砖头,练得几分硬功夫,反落得手抖,倒不如不练。

当然,在劈砖中,我也领悟了一些事情,那就是:

当我心里没把握时,生怕用出的力气又弹回来,便愈是劈不断。

当我一心表现，却再三无功而退时，便容易心浮气躁；斗气血之勇，到头来，使自己受到更大的伤害。

我不希望你学劈砖，却盼望你记取这两段话！

雕砚台的石头，从溪流里捡回来之后，先要放在烈日下曝晒！用砚石磨刀，再以刀雕砚台！

做砚与做人

今年寒假回台湾时，我去二水拜访了雕砚台的师傅，虽没买下多少砚台，却有了不少感悟。

雕砚师傅家的门口，堆了许多砚石，都是他从溪流里涉水挑选回来的，那些石块，表面看是灰色的，很难让人相信，居然能够刻出紫红、暗绿和深黑色的砚台。

师傅说，石头运回来，一定先要曝晒，因为许多石头在溪流里漂亮，却有难以觉察的裂缝，只有不断地日晒雨淋之后，才能显现，甚至自己就会崩裂。

师傅又说，未经琢磨的石头，因为表面粗糙，不容易看出色彩和纹理，淋上水之后，比较会显现，但是水一干，又不见了。只有在切磨打光之后，才能完全而持久地呈现。他还说，其实这世上的每一块石头都很美，即使不适合做砚台，也各有特色，耐人赏玩。

我特别要求他，让我自己试着刻一方砚。师傅掏出一把平头的凿刀，又递给我一只锤子。我问如果这刀锋钝了怎么办，他说就用砚石来磨，因为好的砚石，质细而坚，也是最好的磨刀石。

我小心地由磨墨的砚面雕起。师傅赶紧纠正：不管雕什么砚台，都得先修底。底不平，上面不着力，根本没有办法雕得好。

回程的路上我一直想，砚石何尝不像人，无论表面怎么拙陋，经过琢磨，都会显现美丽的纹理。当然一方好砚，必须用石质细腻，触感好像肌肤，又坚实而耐磨的石头制作。那石块且须经过严格的考验，如同文质彬彬、外表敦和而心中耿介的君子，经过心志与肌肤的劳苦之后，才能承担大任。

我也想：从工作中锻炼，正如同在雕砚时磨砺。好的工作，就像好的砚石，不但成就了工作，也精益了工作者。

当然，最重要的是雕砚先修底。多么细致的花纹与藻饰，都要由那基础的地方开始。

虽然修底的工作是最枯燥的！

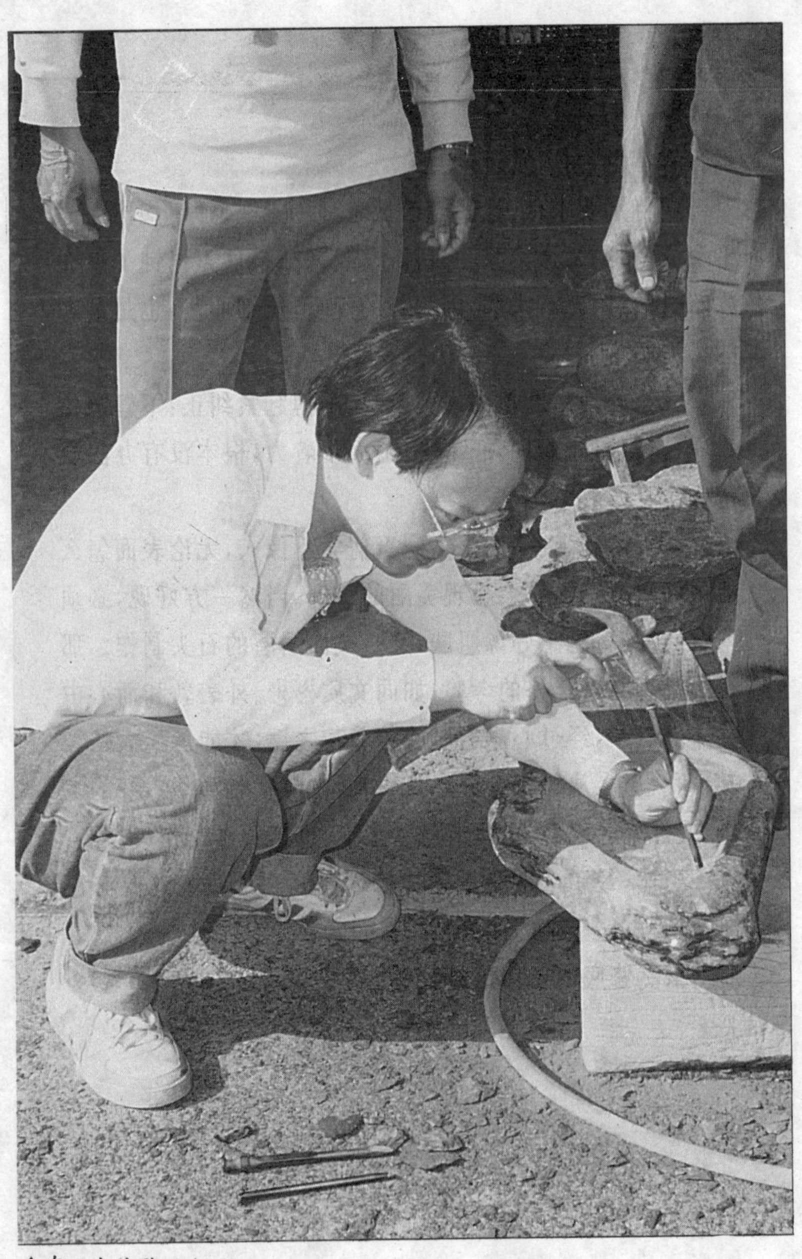

▲在二水试雕砚台。

有个话剧演员，独白到舞台边，突然听见下面传来嗑瓜子的声音，虽然只有一声，他却气得差点从台上跳下去，掐住那人的喉咙……

聆听的学问

在人们聊天的时候，经常会出现这么一个现象：

其中一人正兴高采烈地对众人讲述，却发现大家突然交头接耳，岔到别的话题，原来的听众似乎一下子全转向了。

正当他尴尬得不知如何是好的时候，如果你能做他唯一的忠实听众，甚至大声地追问："继续说啊！下面的事情怎样发展？"他一定仿佛溺水时突然抓到援手般，眉头一扬，又恢复了精神，续完他的故事。

每个人都可能碰过这样的场面，都可能是那个故事说到一半，不知如何是好的人，也或许是那及时为人脱困的朋友，更可能是另起炉灶，岔开他人话题，而换成自己发挥的人。

但是我相信,最令你感激难忘的,应该是那追问你“继续说啊!下面的事情怎样发展?”的朋友。最让你咬牙切齿的,则是泼你半盆冷水,大家突然转变话题的场面。

说话时,使听众注意力集中,是一门学问。

听话时,集中注意力于说话者,更是一门学问。

因为前者是一种才能,后者是一种德性。

这种德性,可能包含着尊重、体谅与忍耐,并不是人人都能做到的。

当我们听演讲或音乐会时,知道要准时入场,中途不能讲话,也不该离座,因为这是对台上人的尊重。

如果这台上人的演出实在差得很,而你能维持风度地听下去,不就是一种忍耐吗?

问题是:忍耐对你来讲只是一时的,如果你半途离场,对台上人的伤害,却可能是永远的。

有位舞台剧的演员对我说,他一辈子也不会忘记有一回在戏中独白到台边,突然听到下面传来嗑瓜子的声音,虽然只有一声,他却气得差点从台上跳下去,掐住那个人的喉咙。

他为什么那样气?

因为他觉得自己没有获得尊重,那嗑瓜子的一声,伤了他的自尊心,而这种伤害常是永远的。

至于我说聆听人讲话,也是一种体谅,就更值得你深思了,因为“事不关己便不关心”,你会发现许多在述说者心中最了不得的事,在外人的耳中,却是极无聊的。

譬如遭遇情感问题的人,谈她少收到几封信、白打了几通电话。得意的父母,说他的孩子又考了多少第一,得了几个甲上;甚至沉迷于宠物的,谈他的猫狗如何通灵懂事。如果你没有体谅,知道情人心、父母心乃至宠物心,再加上忍耐与尊重,是极可能无法长久听下去的。

我有一位朋友,曾在长途车上,以几个钟头说他研究制作纸花的心得,仿佛他已经是世界上最伟大的纸花艺术家,并计划如何打开全球市场。

隔了几个月,他又改变话题,说他得到一种祖传秘方,将可以大量生产,且会得到诺贝尔奖。事后同行的人怪我,为什么一直听下去,而且有搭有唱的,明明知道他在做梦,为什么不拆穿,又何苦做他的唯一听众。

我说:因为这是他再三遭遇挫折后,唯一做梦的机会,有些人的梦可以早早打断,有些人做梦的权利,却不是我们应该去剥夺的。

这种听话的忍耐力,是因为我了解他的苦,也可以说是一种体谅。

从以上这些例子,你应该知道,聆听人讲话,是一门多大的学问!你要学着去尊重、去容忍、去谅解,也必能因此而获得对方衷心的感激。

失意人前，勿谈得意事；得意人前，勿谈失意事。失意时交的朋友，得意时常容易失去；得意时得罪的朋友，失意时也难以挽回。

远行的朋友

今天当你跟Henry出去玩的时候，我特别把你叫进来，叮嘱你不要对他说我们准备买新房子的事。

你似乎不太能了解地看着我，心不甘、情不愿地点头出去了。

不错！你可能认为我有一点假，既然是真实的事情，为什么不能说，何况Henry又是你那么要好的朋友。

但是你也知道，Henry跟他的父母就要被调往别的国家，不管他们要去的地方如何，对于这一块已经生活了十年的土地，他内心有着多少留恋、多少无奈与失落，他可能在家对着心情不定的父母说想留下，却换来斥责。他的父母何尝愿意走，心中又有多少矛盾？

况且当我们搬新家的时候,他们已经离开了,那么你对他说又有什么意义呢?表示你的父母有办法?表示你会生活得更体面?还是表示你比他顺心如意?

他是你最要好的朋友,你能搬到更好的房子,他应该为你高兴。但是相反地,他要到远方去,你是不是也应该分担他的怅惘?

于是此刻,你对一个将离去的朋友,说你不但没有这样的困扰,而且能够更上一层楼,对你和对他,又有什么好处?只是更增大了彼此的距离而已。

所以,向他说一些你对于他前去国家的向往,说我们将去那里看他们,说希望他每年回来玩玩,届时可以住在我们家。并告诉他,你们在未来可以经常通信,并交换资讯,使他能够面对新环境,有更多的憧憬与勇气。

这些,才是你对朋友应该说的。

失意人前,勿谈得意事,因为那只可能加重对方的落寞感。所以即使万事顺心,也要故意说些辛苦处给朋友听。

得意人前,勿谈失意事,因为得意人常不能体谅失意者的痛苦。所以即使有许多不如意,也要振作起精神。

失意时交的朋友,得意时常会失去,因为他觉得你高升了,不再是他的一伙,他不愿意高攀,也高攀不上,你无心的一言一行,都可能引起他自卑的敏感。

得意时开罪的朋友,失意时也难以挽回,因为他觉得你昔日气焰的消失,不是因为你变得谦和,而是因为走投无路，才回头搭老交情。昔日你不认他，他今天也不认你！

在未来的岁月，随着你的成长，将会逐渐了解我这番话的道理。

在地下铁车厢里，只为了换位子的时间不对，而被打青了脸，甚至有失明之虑。

在地下铁车站里，只为了撞人一下未说抱歉，而被打裂嘴角，急诊缝了四针。

冤 枉

我有一个朋友，昨天在地下铁的车厢里，被人打青了脸，甚至有眼睛视网膜剥离的危险。你知道是为什么吗？

当时他看到车厢另一端有个靠窗的座位，于是移身过去，才坐下，就被跟过去的一个黑人壮汉狠狠地揍了两拳。

原因是在他换位子前一刻，正好那个黑人上车，并坐在他的身边。他甚至没有注意到这件事，却引起黑人的误会，以为他有种族歧视，不愿跟黑人同坐而换位子。

那黑人是因为自卑而敏感，又因为敏感而愤怒。我的那个朋友，则毫不知情地遭到殴打。

你的小姨夫，不也是如此吗？他来纽约第一次乘地下铁，居然还没上车，在票亭的前面，就被人一拳打裂嘴角，送急诊缝了四针。

只为了他的手提箱撞到对方，忘了说对不起，且以斜斜的目光，看了对方一眼。其实他偷看对方，是想察看对方被撞到的反应，生怕对方不高兴，岂知对方反而认为他有歧视和瞧不起的意味，好像说："怎么样！撞你一下又如何？"于是一拳挥了过来。

你说我的朋友和你的小姨夫是不是很冤枉呢？

答案当然是肯定的。但是在这个人际关系复杂、环境压力沉重的社会，因为看一眼而挨刀子、一句话而结深仇的事真是太多了！

所以身为现代人，就好比开车，你除了自己守规矩，还得注意别人是否不守规矩；除了照自己认为正确的方向去做，还得留意是否会让别人多心。你必须保持高度的敏感，且常常设想别人的感觉，才可能过得愉快。

是的！这样已经不够愉快，但比那更不愉快的遭遇，显然是要愉快多了！

人愈多，愈挤，手脚愈不灵活，谁能说不是呢？

某人暂住朋友家，朋友的妻子趁丈夫不在时，对某人示好。某人峻拒了，却被朋友踢了出去。

非礼勿听，非礼勿言

今天你问我：讲话直，有没有错？

我当时告诉你没有错。但是几经思考之后，我要纠正自己的说法：如果直言对事情有帮助，则可以直言，否则不如不说。

话虽然讲得简单，即使是我自己，在几年前也是办不到的，因为把事情压在心里，硬是不说，真会把人憋死！

记得有一回我用电话叫计程车，并站在门口等，眼看那计程车从我面前驶过，他居然把地址弄错，或是糊涂地找不到我所讲的地方，而往前直冲，完全没有注意到我挥舞的手势。

等了足足有十几分钟，才见他从另一头驶回。

上车之后，我抱怨地说：“为什么这样久才来，不是在电话里说好五分钟就到吗?”

那司机居然回答:“是啊!只怪路上交通太挤了!”

我当时正在气头上,毫不考虑地说:“算了吧!我看到你从我面前驶过,你是没找到,不是交通挤!”

那司机没有再说话,我却一直记得他通红的耳根和我下车时他那带有恨意的目光。为什么呢?因为我当面拆穿了他的谎言。问题是:这直言对事情有什么帮助呢?只怕反而伤了情面,结下了怨恨。

讲话的技巧何止于此!甚至当别人要直言时,我们也应该看情况而有所处置。记得十几年前的一个场合,有位朋友对我批评某人,偏偏某人是我的好朋友,而批评的人事先不知道,在他将我的好朋友讲得一无是处之后,才有旁边的人提醒他,骂的正是我的挚友。

当场那骂人的和我自己都尴尬极了!尤其糟糕的是,他猜想我必会告诉自己的老友,竟先去我的好朋友处说我与他言语不和,只怕会搬弄是非。

现在让我们来检讨一下当时的状况,是谁不对呢?

大家都没有错!但是如果在他刚有批评意图时,我能先洞察,而及时把话岔开,或是说:“唉!各有长短,咱们不谈别人吧!”他自然会及时把话收住。

再退一步想,他旁边的人就算不及时提醒、阻止,也犯不着当面拆穿,不是最少也可以免得当场尴尬吗?

我曾经听过这么一件事:

某人暂住朋友家，朋友的妻子趁丈夫不在时，对某人示好，起初只是微露神色，在言语上做些试探，看某人没有什么拒绝的样子，乃渐渐放浪了形骸，这时某人才起而峻拒，甚至说要告诉她的丈夫。

岂知那女人的丈夫回到家，不但没有责怪自己的老婆，反而狠狠地把某人踢了出去，且拒听任何解释。

原来那女人怕某人告状，竟先行告诉丈夫，说某人有非礼的行为。

你说，某人错在哪里呢？错在他应该于事情没有显明之前，先暗示那女人自己的正派，甚至借故避出去，而不应该任对方表白得太明朗，失去了转圜的机会。

我还听过一个故事：

有一个人夜宿旅店，在床上听见隔壁的人商谈谋反的事，商谈者讲到一半，突然警觉隔墙有耳，而提刀冲过去，所幸床上的人装作鼾睡而口沫横流的样子，才逃得杀身之祸。

更有一个老兵对我说，时局乱的时候，最要小心的是你曾经得罪和知晓他秘密的人，因为当那人拿到武器，多杀一个和少杀一个没什么大不同，很可能因为你知道他的秘密，而对你下手。

由此可知，我们不但不该毫无城府地讲无济于事的话，而且应该避免去听可能引起纠纷的话。孔子说："成事不说，遂事不谏，既往不咎。"又讲，"非礼勿听，非礼勿视，非礼勿言。"这三个"不"和三个"勿"的学问，真是太大了！

对已知的环境,做进一步想。

对未知的环境,做退一步想。

进路与退路

你说想去征服高山,但是当我问你登山者应该带些什么东西时,你却答不上来。

现在让我告诉你吧!如果是攀登路径不熟的高山,即使原定一日往返,除了必备的指南针,你的行囊中也应该包括一把小刀、一打绳索、一盒用塑料袋包好的火柴、一点盐巴、一块折起来不大的透明塑料布或雨衣和一个哨子。

这些东西大多数都不是为你的进路而准备的,而是预为你的退路。但是不论是登山的旅途,或在你人生的旅途上,“有退路”都是寻取进路的必要条件。

于是那把小刀,在前进时可以帮助你用来切割猎物、削竹为箭、砍木为叉;在你被毒蛇咬伤时,更可以用来将伤口切成十字,以吸出毒血。

那条绳索,在前进时可以帮助你攀爬;在爬山友遇险时，可以用为营救；在编织担架时，用为捆绑。

那盒火柴，在你前进时，可以用为烹食；在你遇难时，则可能让你点起柴火，熬过高山上寒冷的夜晚。

那块透明的塑料布或雨衣，在你前进时，可以用来防雨；当你困阻在深山时，更可以使你减少地面或环境中潮冷的侵袭，甚至在缺水时，用来收集地面蒸发的水汽，使你免于干渴。

那块盐巴，在你前进时，可以用为烹调鲜美的食物；在你困厄时，则能用为消毒、补充体力，甚至帮助你吞下平时绝对难以接受的野生食物。

至于那只哨子，在你前进时，固然可以用为招呼队友，作为集合的讯号；在你落难而饥寒交迫、喊不出声音时，更可能因为有这只哨子，隔几分钟吹一下，而使搜救的人员找到你。

如此说来，哪一样东西可以少呢？它们占的空间不大，却是你行前绝不能疏忽，而落难时可能保命的。

我过去曾多次对你说：旅游时，如果是旧地重游，不妨在既有的大道之外，再去寻访一些小路，发掘新的风景。相反地，如果是到陌生的地方，则应该记住来时的道路，以便遇到困阻时能够脱身。

对已知的环境，做进一步想；对未知的环境，做退一步想。在人生的旅途上，前进固然可喜，后退也未尝可悲，最重要的是：

在前进时要知道自制，免得只能进而不能退；后退时则要知道自保，使得退却重整之后，能够再向前行！

吃了迷幻药的人，常以为自己会飞，也就真有人从楼顶跳了出去……

真假世界

今天在我批评你玩太多电脑游戏的时候，你不服气地说："您知道吗？这是很复杂的游戏，里面有一整个宇宙呢！"

当时我没有多说，只是现在要问你，你游戏中的那个宇宙有多大？它只是在一个电脑磁碟中的宇宙，一个别人创造的宇宙而已。

我还可以告诉你，据吃过迷幻药的人说："服药之后，世界变得五光十色，可以出现许多异象，感觉自己仿佛飘浮了起来。"那么，是不是他们也就拥有了另一个多彩多姿的宇宙了呢？

在这个世界上，确实还有许多不同的小世界。譬如盆景，当你面对它，让自己的想象在其中徘徊，那小小的石块、草苔和迷你的亭台楼阁，就像是另一片真实的山水。

又譬如小说、戏剧，当你沉迷其中，自己就成了剧中人，随着他们生活、哭笑,那也便是另外一个想象的世界。

问题是:这盆景、小说、戏剧、电子游戏,乃至迷幻药带给我们的,都不是真实的世界,它们很可能反映了真实世界的东西,却毕竟不等于真实。所以当你以它们为适当的消遣(不包括迷幻药),偶尔沉醉其间,使精神获得疏放、驰骋自己的幻想时固然可以,如果错把那个由别人构筑的“假世界”,当作自己的“真世界”,就大错特错了!

好比曾经有不少吸食迷幻药的人,想象自己能飞,而真从楼顶向下跳一样,那结果是必然的:非死即伤。因为他飞的想象是在假世界中,而跳的行为却发生在真实的世界里。

更普遍的例子,是许多人举杯浇愁,希望在酒醉时能够浑然忘忧,飘飘然仿佛腾云驾雾一般。问题是:宿醉之后可能头痛,而头痛中,他还是得面对真实的人生,他的困苦可曾因为一醉而消失呢?如果心想可以再醉几次,不断进入那酒后虚浮的世界,他便可能在真实的世界中永远站不起来。

所以我必须警告你,不可将假世界与真世界混为一谈,更不可将虚幻的价值观,移到现实生活中来!

他住在大统舱式的老屋里，收藏各种古旧的机器，写豪放不羁的打油诗，用街上捡到的废物，拼造了照相机、洗衣机和“电椅”。

他似乎生活在想象的世界，却有着真实的生活！

真实的生活

在纽约苏荷区有位兼修古董的中国艺术家，某日把一个由好几块碎片复原的瓷瓶送回古董店，出门时不小心绊了一跤，将那瓶子又摔成了十几片，他不慌不忙地将碎片连碴都不漏地捡起来，照样修理得一无破绽地送回古董店。

这个艺术家就是夏阳。

今天下午，我带你到苏荷区拜访夏阳，相信你一定会被他那大统舱式的老屋、五花八门的收藏、千奇百怪的发明和豪放不羁的打油诗所吸引。

我们看到夏阳如何用运货的推车，改装成上下电动的画椅，把电话、收音机、录音机、幻灯机，乃至控制画架升降的开关全部装在上面，使他能够坐在椅子上呼风唤雨。

我们也看到夏阳如何用木板和纸盒涂上黑墨，制成观景式的照相机，拍出效果绝佳的照片；更看到他以杠杆和封浦原理制成的简易洗衣机。而那许多发明的材料，居然多半是用街上捡来的废弃物制成的。无怪走出夏阳的家，你笑着说那好像是狄斯尼乐园“明日世界”(EPCOT CENTER)里的想象世界，简直太神妙了！问题是，那是一个想象的世界吗？

实在说，他比什么世界都真实。那是一位坚持理想的艺术家，为了执着于自己的画风，与现实奋斗的世界。那里的一桌、一椅，都是向艺术顶峰攀爬者留下的血汗足迹。

不知你有没有注意到，他的鱼缸里，养的是一块钱一打，原本用来做钓大鱼鱼饵的小鱼。虽然那些鱼一点也不华丽，但是在艺术家的眼中，却能从平凡见到真趣。

不知你有没有注意到他的炉子，是可以进博物馆的老古董，可是当他为我们烧水沏出来的茶，却是上好的乌龙。

在那看似简陋之中，他有着最精致的一面。对比他，这世上不是有着许多豪富人家，在数十万一条的红龙和数千元一两的茗茶间，却有着最粗俗的精神生活吗？

所以我说，夏阳在他破旧的小屋中，呈现给我们一个最最真实而感人的世界。我们何尝不能说，他与梵高、高更的世界一样地伟大！

▲坐在“电椅”上的艺术家夏阳。(李小镜摄影)

是的，在人类的历史上，真正享有不朽名声的艺术家是极少数的，却有着无数有理想、有抱负，甚至宁死不屈的艺术家，像是战场上捐躯的无名英雄一般，执著地向前进。

记得吗？当我临走时，问夏阳在纽约二十年的岁月，觉得如何？有没有什么遗憾？

他说：很好！

当我问他的人生哲学时，他笑答：题目太大了！只觉得我们要为中国做的，实在太多！

让我们咀嚼他的语言，并用他那真真实实的生活，来检讨一下自己，扪心而问：我们有没有生活得比他更真？

没有豆子在上面，就不认它是豆子！

现在成功

今天下午我请你的母亲到后园小坐，难得出去晒一下太阳的她，居然指着零落将残的四季豆，问我是什么植物。我大吃一惊地说，那是她已经享用了一整个夏天的四季豆，并且责怪她居然五谷不辨。

你知道她怎么回答吗？

她说："我不管！只因为我看不到结着豆子，所以不认它。"

这两句话使我大为惊悸，因为它代表了世上大多数人的价值观，也显示了现实的冷酷无情。

是的！没有豆子，就不认它！不管它过去有多大的贡献，只因为没有亲眼见到，或现在看不出，所以无法认同。对人来说，不论你过去多么成功，如果此时没有表现，也便往往被否定。

洛克菲勒每天晚上都要对自己说同样几句话:“你虽然有了一点成就,但只要不继续努力、虚心学习,就会被人击倒……”

西方有句谚语:“没有失败的成功者,只有成功的失败者;没有失败,只有失败者。”更说,“没有成功的叛国者!”因为叛国者若成功了,便是革命家。这不正是中国的“成则为王,败则为寇”的道理吗?

所以,不要以为自己成功一次就可以了,也不要认为过去的光荣,可以被永久地肯定。在这个世上,“现在的成功”是重要的,而现在马上便成为过去,下一刻又得有下一刻的成功。

记住!没有豆子在上面,就不认它是豆子,这是你母亲说的,也是大多数人会说的一句话。

攀在篱墙上的黄瓜须蔓，虽然已经干枯，仍然紧紧地缠绕着，为了下一代的繁衍，即使在死后，也不放弃自己的责任！

尊敬大地

你知道吗？我为什么最爱到屋后的园圃去，那并非由于它是我早春以挖土施肥来活动筋骨的地方，更不是因为它能提供我们半年所需的蔬菜，而是由于它充满着教训！

从小，我就爱种菜，也自自然然地学会了尊敬土地、尊敬自然，我觉得没有土地，就长不出植物；没有植物，鸟兽就难以生存；没有鸟兽，食肉类的动物便无法存在。所以这世上的每一种生物，都是由土地所孕育的。

一直到今天，我仍然相信，如果能常常光着脚，站在土地上，让我们的脚心，像植物般吸取泥土的精华，感受那大地的脉动，会有益于健康。因为在人类史上，穿鞋只是晚近的事，我们大部分的祖先，都是日夜与土地赤裸裸接触的。

所以你常看见我赤脚在园中穿梭。我仔细地观察每一棵植物的消长,由它们之中仿佛听到了自然的律动与大地的呼吸。更由它们之中,虔敬地获得了教育。

今早,黄瓜藤就给予了我极大的感动。我先是发现上个星期才开花结蒂的小黄瓜不见了,经过寻找,才知道原来它已经改变了位置,落到瓜藤的下方,且成为一根大黄瓜。

其间最令我惊讶的是,那一整棵瓜藤和它原来攀爬的小树,居然都改变了原先的样子。

小树的枝子因为黄瓜的重量而下垂,瓜藤随着倾斜,新的叶子为了追求阳光而向上发展,在黄瓜的四周则长出了许多须蔓,紧紧地攀住树枝。

直到此刻我才知道,原来那看来纤细的须蔓,竟然如此地坚韧。尽管小树枝倾斜得近于垂直的状况,而不易攀附,它们居然能够一枝又一枝地伸出,紧紧缠住不放,使那比初生时大上百倍的黄瓜,仍然能够安然地成长。

而最令我震动的,是发现在那许多须蔓之间,有些已经因为苍老而完全干枯,但是当我试着拉动它们的时候,竟仍然无比坚定而强有力地缠绕着。

生命是多么伟大啊!它的尊贵与光辉,是不仅为今生而存在,且为着下一代的繁衍而支撑,甚或在死后,都不放下自己的责任。

同样地,每一个生命的成长,都不是它单独的事情,就像那个黄瓜,从土地萌芽,孕育出它的母体,攀上篱墙,再转到旁边的小树上，而后在开花时，用它艳黄的花瓣，吸引了蜜蜂的虫媒，再于受孕后，在母株极力地维护下，一日日成长……

孩子！当我们晚餐的盘中有着鲜嫩的凉拌黄瓜时，请别忘了：谢谢种黄瓜的人，谢谢土地，谢谢篱墙，谢谢黄蜂，谢谢牺牲自己、至死不懈的须蔓，也谢谢那棵曾被压弯的小树吧！

▲已经大半枯黄，仍然为果实而支撑的黄瓜藤蔓。

当灵感突然出现，会使你有一种惊艳的喜悦。

问题是，如果你一天到晚往男生堆里钻，怎么能有惊艳的机会呢？

寻找灵感

今天当我问你为什么许久未见你写作时，你回答“因为没有灵感”。话说得很轻松，却使我相当吃惊，因为我发现你患了一种没有严重症状，却又是最糟糕的病，一种使许多原本具有潜力的作家到头来一无所成的毛病。

什么叫做“没有灵感”呢？这只是许多人在没有创作时的一种托词而已。回教中有一句话：

“若你呼唤那山

而山不来

你便向它走去！”

同样的道理，当你没有灵感时，为什么不去寻找呢？“日有所思，夜有所梦”，你会发现灵感也是如此。你愈是寻找它，它愈是会出现。虽然好像在意外中突然涌现，实际却是因为你在不断地寻找，所以它的出现才会使你惊艳！

"惊艳"，对的！我们可以说灵感来临时，会像你突然看到一个出奇美丽的女孩子一般惊喜。但是你要知道，如果你希望看到漂亮的女孩子，最好是常参加交际，或往女生比较容易出现的场所跑，如果天天待在家里，或往男生堆里钻，你又如何惊艳呢？

所以惊艳看来是一种机遇，但是这机遇却可以创造。灵感看来是一种"天外飞来"，可遇不可求的东西，实在却可以因为我们的努力寻找而变得容易。

有个人带了一架傻子照相机在公园里闲坐，看到一群可爱的孩子从面前跑过，突发灵感，举起照相机拍下来，居然参加摄影展得了大奖。

另外有个人，早上起来突然想要出去摄影，又接着灵光一闪地想到何不拍拍小孩子，再飞来一个灵感是何不到贫民窟拍穿着破烂却满面天真惹人怜爱的孩子。于是他准备好各种器材，转两三班车到了贫民窟，又守了一整天，从上百张的照片中选出一张参加摄影展，也获得了大奖。

他们的结果相同——都拍到好的作品，得了奖。过程却有多大的不同？

你当然会向往前者，因为那灵感来得巧，几乎不费力气，举起傻子照相机，咔嗒一声就成功了。问题是，那种机会是不是常会出现呢？比较起来，反而后者更容易把握，也更能保证你成功。因为守株待兔的人,可能不费力气地得到一只自己撞死的兔子,却绝不会像猎兔人一样,虽然辛苦,但总能有所收获。

“天若有情天亦老”,这留传千古的名句,想必你早知道,但是你晓得它的作者李贺是用什么方法寻找灵感吗?他每天一大早便骑着瘦马出去,到处发掘灵感,并把得到的感触记下来投入锦囊之中,直到晚上回家之后,再把那许多灵感加以整理,成为完美的作品。当你没有灵感时,何不学学李贺,出去找寻呢?

当然也不是说灵感非要到外面去寻找。丰富的生活体验固然可以带给我们灵感,从前人的作品当中,也可以引发我们的情思。所以古人说:“吾尝终日而思矣,不如须臾之所学也。”当我们整天苦苦地思索灵感,而发现灵感的泉源依然枯竭的时候,另一个泉源往往就在你的身边,你可以由再充实、再学习,加深自己内涵的过程中,获得新的灵感。

疏影横斜水清浅
暗香浮动月黄昏

当我们吟咏宋代诗人林逋的这两句诗时,有谁会想到它实在是出自五代南唐江为的“竹影横斜水清浅,桂香浮动月黄昏”?

当我们看莎翁名剧《奥赛罗》时,有谁会想到那是出于意大利钦蒂欧的《夫与妻之不忠实》?

如同吃东西,当我们把外来的食物消化之后,它就能成为我们自己的血肉；当我们阅读前人作品的时候，也能勾起灵感，而创作出属于自己的作品。

年轻人，灵感就像是我卧室窗外不断来访的小鸟，它们成群地来，是因为我放了喂食器和谷子；我能够清楚地观察它们，是因为我挂上了可以隐蔽自己的百叶窗；至于能够把它们搬上画纸，成为我作品的一部分，则是由于我总是准备好纸笔，随时速写它们的动态。

你说，我是因为总有灵感来找我，才能不断创作，还是因为我不断地去寻找灵感，以至有所收获呢？

所以从今天开始，我希望你再也不要说“没有灵感”！

如果你没有崇高的理想，就不能战胜自己的隋性；无法战胜惰性，就很难把握时间！

把握时间

今天我在杂志上看到一则有关美国华裔体操名将马思明的报导，感到非常惊讶，我并非对她以十七岁的小小年纪而获得泛美运动会体操全能金牌感到吃惊，而是佩服她运用时间的能力。

马思明每天早上五点半起床，六点出门，六点四十至七点做暖身运动。然后练习到九点半。十点开始上学校的正规课程，下课之后再去体育馆练习，从四点一直到七八点，才开车回家做功课，并在十一点钟就寝。

我暗自想：

当我的孩子还在被催着起床，或坐在床边发呆的时刻，马思明已经做完暖身运动。

当我的孩子正在浴室挤青春痘和吹头发的时刻，马思明已经在平衡木上跳跃。

当我的孩子在电视前吃着零食，嘿嘿傻笑时，马思明正离开体育馆，驾车穿过黑暗的夜色。

当我的孩子坐在餐桌前细细品味他的宵夜，一刀一刀往小饼干上涂乳酪时，马思明已经做完功课，上床睡觉了！

我相信马思明的筋肉是比你疲惫的，但是她疲惫得健康，第二天的早上，又以一副清爽的身躯，投向新的战斗。

我也相信马思明的时间是不够用的，但是她安排得有条不紊。由于都在计划之中，所以反而从容。

我更相信马思明会希望像一般十七岁少女一样，细细装扮之后，赴一个又一个的约会。但是追求更高境界的理想，使她不能，也不敢有一刻松懈。

记住！上帝给每个人的时间都一样，但是每个人使用的效果却不相同。如果你没有崇高的理想，就不能战胜自己的惰性，无法战胜惰性，就很难把握时间！我尤其欣赏马思明的教练唐·彼得斯所说的两句话：

“我认为她是美国最好的体操选手，她有能力把握每一天的时间！”

他没有用任何词语形容马思明辛苦的练习，却强调她有能力把握每一天的时间。是因为每一个堪称为“最佳体操选手”的人，必然都经过辛苦的练习。其中唯独“有能力把握每一天时间”的，才能站到巅峰。

成熟，就应该开花、受孕、结果了吗？

早熟

“我小时候就想学画，但是没有能学；高中毕业后又想学画，还是没能做到，所以一直拖到今天！”

夜间部，一位中年的妇人对我说。她的眼睛里闪着智慧的光彩，虽然只是上第二堂课，已经见得出过人的才分，我敢说如果她早早学画，一定能有不错的成就。

“为什么两次都没能如愿地学画呢？”我问她。

“因为我父母十几岁就结婚生了我，能养活我已经够辛苦了，怎么还可能花钱让我学画？”

“那么你高中毕业时，为什么又没能走上学艺术的道路呢？”

“因为我也早早结婚怀了小孩！”她有点不太好意思地说，“只怪我父母结婚太早，两个人情感都不成熟，总是吵架，家里没有温暖，所以我希望愈早离开家愈好，问题是既然结婚成家,也就没能实现学艺术的理想。”

我没有继续追问她的子女又如何,只是把这段故事告诉你,供你思考。

一对十七八岁就结婚生育的父母,不仅没能完成他们年轻时的理想,又没能实现他们子女的梦想,甚至一连串地影响了许多人。那么,这个早婚的价值,是不是值得斟酌呢?

记得我有一天叫你到后园看前年种的两株牡丹吗?虽然当初一样大,但是去年开花的一棵,今年却比未开花的那棵瘦小了一倍;而后者今年所开的花,则比前者两年加起来的还多。是什么原因使它们有那样大的区别呢?

因为有一棵太早绽放,虽然抢了先,却也伤了本。

每年夏天,蔷薇过后,你总会看见我把它们结的子一个个地剪掉,你也会看到我把君子兰粗大的花茎齐根切去,因为当它们以大量的养分支持果实和种子的时候,下一季的花朵就可能减少许多。

你已经是个十足的青少年,甚至可以说是正走向血气方刚的青年,你的骨骼开始变得粗壮,胸肩变得宽阔而厚实,你卧室的墙上开始悬挂女星的照片,早上可以听见我去年送你的电胡刀愈来愈频繁的声响,你梳头洗脸和挤痘子的时间成倍地增长,头发的花样不断地翻新,当你坐在我对面时,那发胶的香味经常令我敏感得有些气喘。

这表示,你将成熟。成熟得准备绽开花朵,引来蜂蝶,甚至使一株雌花受孕。

▲靠画面上方的是早一年绽放的牡丹，枝叶显然比下方那棵来得瘦弱。

所以在此刻，我说以上几个故事给你听，希望你了解其中的意思！

当我初到美国大学教课时，对学生说：“尽管我教得多，并不表示会考那么深，所以大家不必担心！重要的是知识，而非成绩，我不会在分数上为难你们。”

从此，学生上课就不专心了。

师生之间

今天下午，你母亲到学校见了你的各科老师，我原先认为以你的成绩而言，是没有必要去的。但是现在不得不承认，你母亲的决定对，因为她带回了一些我们没有想到的信息，也带去了许多老师不知道的事情，更解除了一些师生之间原有的疑惑。譬如你的音乐老师发现，你曾经要求他准许你使用钢琴是有道理的，而他原先误以为你只是想捣蛋，所以与你母亲谈过之后，他不但特别约你谈话，还要为你介绍钢琴名师。

我们原以为会由于你在课堂上与他抗辩而宰你成绩的

英文老师，则一见面就赞扬你长于写作，表示虽然他只读过你一两篇东西，却早已有所发现。而当你母亲提到你在课堂上冲动抗辩的事，他更认为那没有错，同时解释了他的评分观点，而显然他是对的。如果你母亲不去，只怕我们会一直认为错在他，你也可能在心头有个挥不去的阴影，认为他会对你记恨呢！

最令我们惊讶的，是你法文老师的评语，当他说你上课的行为表现不好时，你母亲不敢相信地，居然连问了两次："您没搞错吧！"直到他举出上课时总跟你讲话的同学Howard的名字时，你母亲才不得不相信，因为她知道Howard是你法文班上最要好的同学。

你的法文老师还举出实例，说今天为了开家长会，法文课缩短到只有十五分钟，而你居然讲了十分钟话，还没有打开课本！

天哪！你要知道，相信你也早知道，我在大学教课时，最痛恨就是在下面讲话的学生，因为他们非但注意力不集中而成绩总是不好，更影响了其他同学听讲。尤其糟糕的，是他会弄坏我授课的情绪，使教的内容也打了折扣。

而今天，居然这种捣蛋鬼，令我心里恨恨牙痒痒的学生，也包括了我自己的孩子在内。你叫我怎么说，又使我对你法文老师有多大的亏欠感呢？

不错！你说你讲话都是在老师闲聊而非教正课的时候。你的老师也说，可能因为他上课用的方法太轻松，使你把他看成了自己的哥哥，而变得毫无顾忌。

但是你也要知道，正因为他用这种轻松的教法，你愈要与他合作，使他的每个幽默，都获得反应，使他的亲切，能获得回馈。他不把你们当学生，而看成自己的小弟弟小妹妹，是他对你们的尊重，你们怎能因此而不自重呢？

记得我初到大学教课时，第一堂课就对学生说："为了使你们学得多，我可能会提到不少人名、地名和年代，但我尽管教得多，并不表示会考那么深，所以大家不必担心，重要的是知识，而非成绩，只要努力地学习，我不会在分数上为难学生。"

几乎每一班，只要我这么一讲，秩序就突然变坏了。学生们开始聊天，缺席的人数也愈来愈多，使我不得不板起面孔，宣布随时可能测验，才将学生控制下来。

每次我不得不改用严厉政策之前，都想：为什么当我尊重他们时，他们却如此不知分寸地放肆，他们是不尊重老师、不尊重知识，更不尊重自己。

同样地，今天你的法文老师会不会如此想呢？当他希望在轻松的谈笑间教导你们，让师生融成一片时，会不会事与愿违呢？当他想利用三天假期，带你们去加拿大法语区魁北克（Quebec）旅游学习时，会不会自忖控制不住你们，而到头来放弃呢？

记住！老师永远是老师，不论他看来像你的哥哥，或跳坐到讲台上聊天，他都是老师，你们也都应当以他为中心，让他觉得自己说出的每个字、讲出的每个笑话都获得了“满堂”的回响，这是他的收获，也将是你们的收获！

最后，让我告诉你，尽管你在课堂上有许多不对的表现，你的法语老师，非但给你最好的成绩，而且高达一百零八分。你的英文老师不但没有宰你，还给了你最高的分数，而且愿意在课后特别指导你写作。

我不想赞赏你，但不得不佩服你的老师们，还有你那从百忙中抽空去学校的母亲。

老师、家长与学生的这种沟通，真是太重要了！

如果有一天你在亚马逊丛林里迷了路……

如果有一天你在伸手不见五指的建筑中要逃生……

如果有一天你在半山腰遇到了山洪……

最高指导原则

如果有一天，你在亚马逊丛林里迷了路，举头只见浓叶蔽天，使你认不出太阳的方向；森林地又是一片平坦，没有让你可以四眺的高山；加上亚马逊丛林是广达七百零五万平方公里的蛮荒，你要怎么找到逃出丛林的路呢？

如果有一天晚上，你在电影院、办公大楼或超级市场这类的宽广建筑物中碰到了火警，所有的电灯突然熄灭了，人们在黑暗中狂奔尖叫，你要怎样找到逃生的路？

如果有一天你在登山的途中遇到大雨，而山洪暴发，只见洪流从山上滚滚而下，你正置身半山腰，该怎么办？

当我告诉你，今年暑假我在台北住的英伦大楼地下室发生火警，管理员从楼顶搭电梯赶下去救火，中途停电，使电梯停在半空，管理员在漆黑中跳出电梯折断大腿骨，而送荣总急救的事情之后，考了你以上的问题，却发现你没有给我最满意的答案。

你想到从树干上的苔藓和年轮分辨方向，想到在地上爬行以免被浓烟呛晕，想到抱紧大树以免被山洪冲走，答案都没有错，却差在你没有说出最要紧的应变原则。也就是说，所有的小举动，都应该在那个大原则的指导下进行。你提出了战术，却没有提出战略。

现在让我告诉你，专家们建议的大原则：

在广大的丛林里迷路，如果没有指南针或辨别方向的可能，走出丛林最好的方法，是顺着小水流前进，从小水流走向小溪，从小溪进入小河，转入大河，最后自然会流向江海，脱出丛林的围困。

在黑暗的建筑中，找出逃生之路的最好方法，不是东跑西撞地狂奔，而是朝固定的方向一直走，自然会碰到墙，再沿着墙一步步朝同一方向摸索，自然可以找到逃生的门窗。

在山洪暴发的半山腰，逃避的最高原则，是绝不能往山下跑，因为愈向下，山洪汇集得愈多，夹带的沙石也愈多。唯有朝山顶的方向前进，才能减少山洪的威胁。所以登山家有句名言："没有一个山顶，会有所谓的山洪。"

如同上面所说的情况，在我们遇险时，有许多"最高指导原则”,它们听来非常简单,却可能带给你最大的希望。

在你的心中,有多少这样的指导原则,使你在最紧要的关头,可以立刻作出正确的抉择?

美国高中女孩子流行一句话：交朋友是为认识更多的人，不断换，就不断认识！

于是男生也说：为了乐子嘛！腻了就甩！

腻了就甩

“我高一交的女朋友，到毕业的时候，早就不可能跟我在一起了！”

今天下午，当我们一同油漆车房的时候，你不经意地对我说。

“那么你又何必交呢？”我问。

“为了乐子(For fun)！所以没有乐子，也就吹了！”你说。

我差点把油漆刷子掉在地上，张大嘴望着你：“天哪！这就是你的交友观或恋爱观吗？”

“大家都这样！这是流行，我只是跟着走！”

“服装Fashion可以跟着走,难道连交友的态度也要跟着流行吗?”我问,“当你觉得没有乐子时,可以跟女朋友说再见,是不是当你的女朋友觉得你不够吸引时,也可以把你甩掉?”

“当然!”

“那么,你被甩掉之后会不会伤心呢?”

“如果她是我的第一个女朋友,当然会伤心!”

“相同地,如果你是她的第一个男朋友,她也会伤心。如果你是她不知道第几任的男朋友,她就会比较不在乎!对不对?”

“在理论上是对的!”

“所以你们在交往之初,就已经有了没乐子便分手的想法。这样,你们之间可能有真正的友谊吗?一个在一开始就不诚恳、就不敞开胸怀、就准备甩掉对方,或被对方甩的友情,是有价值的吗?我又要问你,你以不认真的态度交朋友,是不是也能确定,所有与你交往的女孩子在态度上同样是不认真的呢?”

“女孩子流行一句话,交朋友是为认识更多的人,不断换,就不断认识!”

“是不是所有的女孩子都如此呢?百分之百?”

“当然不是!”

“那么当你以一种游戏的态度交朋友,对方却是全心投入时,在一起初,岂非就不平等吗?你们一向讲求平等,为什么连交朋友的态度都不平等呢?如果你是认真的,对方不认真,是不平等!如果她认真,你不认真,也不平等!如果双方都不认真,你们这种友谊,又算是什么呢?我还要告诉你:友情,不论是同性或异性之间,最基本的条件,就是真,就是信。如果没有这两者,就不必说那是交朋友,不如讲只是找个暂时的玩伴!问题是,在这个世纪之病泛滥的时候,你说不定已经是对方的第N个男友,这种玩伴你能要吗?"

"所以我应该找那老实的、认真的!"

"可是如果那认真的女孩子,知道你过去交友的态度是找乐子,而且不信实,她无法确定她是你的第N个女友,也难保证你有没有毛病,她又会肯跟你深交吗?所以当你交友的态度只是为了乐子,只怕你便只能找到那同一类型的人。再不然你就是欺骗对方而伤害别人,再不然就是对方欺骗而伤了你,再不然就是彼此欺骗。"

从种菜当中,我体会了一件事。有些人喜欢从撒种、育苗开始,种成畦畦菜。有些人喜欢到苗圃买保证成活的幼株回去种,还有些人干脆去菜场买收割的成品。

我发现许多人或因为苗床的养分处理不当,苗株常长得太细;或由于日光不正,而苗株倾斜;又或因为不耐于搬进挪出,让幼苗适应外面的环境,而在移植后死亡。经过几次失败,便宁愿去买现成的幼株,从半途开始。

日久之后,他又可能觉得由幼株开始也费了太多心血,感觉不值得,而放弃种菜,干脆要吃的时候去菜场买。

没有错！这三种人都吃到了菜。也没有错！买现成菜的人，可能多花不了多少钱，却省了许多力气。问题是那由播种，看着冒出新绿、茁壮、成熟的种菜之乐，恐怕只有第一种人享受得到。

如果将吃菜比喻为性关系，我相信在今天的社会，有许多人宁愿买现成的，因为他省时，而且可以换许多花样。可是在肉欲的满足之外，他享受了多少精神生活的美好呢？

人可以多情，但不能滥情；可以多交朋友，但不能滥交朋友。而且交朋友最起码的条件是：你要真诚与信实！

我把今天的对话记下来，供你再思考！

同样是听见一声枪响，在贝鲁特的人会立刻仆倒；在纽约哈林区的人会弯下腰去；至于在夏威夷，人们只怕会东张西望，以为是什么车子爆了胎。

忧患意识

当我十三岁那年的寒假，有一天跟朋友去爬阳明山，回家才吃过晚饭，家里就失了大火，瞬时火舌冲出屋顶，当救火队赶到时，已经烧成平地，唯有几根焦黑的房柱，立在颓圮的断垣间。

逃出火场的我，眉毛都已经烧掉，呆立在人群间，却发现手上还攥着一样东西，原来是白天从阳明山摘回的小橘子。

二十多年来，那失火的一幕，总在我眼前浮现，仿佛昨天才发生的一般清晰，甚至连那天在阳明山的种种，也历历如新。

我常想，如果没有失火，那一天不过是我人生中的一日而已，平凡得不可能进入记忆，问题是：为什么晚上发生火灾，却能使我把白天的事情，也能铭记不忘。痛苦的打击，难道能把许多已经淡化的东西，再染上一层深重的色彩吗？

从这一点出发，我渐渐有了更深的体会。

我发现参加联考之前几个月准备的东西，即使不再温习，也可能维持记忆到考试。偏偏在放榜录取之后，几乎没有几天就遗忘了大半。可见在脑海贮存资料，是分为第一、二、三等不同优先的。当我遭遇失火的灾变时，原本列为最不重要资料的日间记忆，立刻被移入第一优先。同样地，当考试放榜之后，那原本最重要的资料，又可能被移了出来。

记得当我头一年回国时，你的母亲在信中告诉我，每天晚上你必定像我一样检查门窗，夜里楼下有一点异响，你也会立刻注意到，好像听觉突然变得敏锐了。

你的听力真是增加了吗？答案当然不是。而是你增加了关心的程度，你 care（关心），你 alert（警醒），甚至可以讲，你有了忧患意识！

什么是忧患意识？

忧患意识所涵括的真是太广了！往大处想，可以是人民对国家、社会、时局变迁的担忧；往小处看，可以是学生对考试的担心、居民对窃盗的警戒。总归，凡是认为环境与个人的命运休戚相关而有所警醒，都可以称为有忧患意识。

然而，忧患意识却也能使涣散的人心振作起来，使淡忘的记忆清晰起来,使迟钝的感觉敏锐起来。当我们细细观察时,可以明显地看出有忧患意识与缺乏忧患意识人的差异。譬如同样是听见一声枪响,在贝鲁特的人,会立刻仆倒;在纽约哈林区的人会弯下腰去;至于在夏威夷,人们只怕会东张西望,以为是什么车子爆了胎。这种表现的差异,就是因为前者有忧患意识。

你或许要问,我说这么一大番道理的目的是什么。

我的答案很简单:

我希望随着年龄的增长,你能对许多事情具有忧患意识。你应该开始关心环境污染的问题、国家施政的方针、世界局势的变化,更应该对自己未来的发展有忧患意识,考虑到未来求学的方向,乃至人生的目标。也可以说:你要把自己放入这个世界的大环境中,而不再一切等父母师长的安排。

你会发觉,当你有忧患意识之后,许多潜力都能获得发挥,你也能看得更深、更广,且计划得更长远!

名书法家曹秋圃先生，十八岁就教人写字，但是三十二岁才自觉不足，而真正下功夫练字。

重新来过

我常觉得你不是不够聪明，而是不够傻，今天朱丽叶音乐院艾司纳(Leonard Eisner)教授对你演奏的评语，即印证了我的话。

艾司纳教授说，他发现你有非常好的乐感和记忆力，什么曲调只要听一遍，就能模仿得很像。但是你却不在乐理上用功，所以若没有老师的指点，拿到一本深的乐谱，常不知如何下手。他又批评，你似乎不爱弹巴赫(Bach)和莫扎特(Mozart)这些作曲家的古典乐曲，而偏爱抒情和浪漫的东西，却又常不老老实实地照谱弹，而加上太多自己的见解。对于伟大的钢琴家，那或许是可以的，但对你而言，那却是不正确的学习态度。最后，他下的评语是：你弹得很好，但是不够用功！

这句话或许是你一时不能了解的，因为同样的评语，也曾发生在我身上，经过了很长的时间，我才真正知道它的涵义。

记得我在大二修篆刻，王壮为教授看了我草草交差的功课时，一面为我修改，一面感慨地说：“你刻得不错，就是不够用功！”

当时我很纳闷，心想：既然说我刻得不错，又为什么要批评我不够用功呢？

第二年，当我在美术系画廊展出作品时，王老师看到我所画的《桃花源》图，笑着说：“桃花林画的感觉很好，问题是，那枝子属不属于桃树呢？”

我又心想：既然知道是桃花林，又说画得好，为什么还评论我的桃枝不对呢？

又过了几年，我在新公园开第一次国画个展，王老师莅临会场，在看我一幅有长题的作品时，频频点头地说：“字写得很好，但是练得不够！”

前后连续三次，他几乎讲的是同一类的话，我终于了解那话中的意思。也就是说我的聪明确实可以创作出看来不差的东西，但是也由于过度倚仗聪明，缺乏平实的努力，使展现出来的作品，骨子里不够坚实。就像是在那篆刻之中，刀落得潇洒，风神也不差，但是因为技巧不够熟练，而“刀法”欠佳。在那《桃花源》作品之中，气氛构图都不错，却因疏于观察，而把握不住桃树的特色和精神。至于书法，看来不错的行草，实际却因为临帖的不足，以致笔画顺序不合章法。

这也使我记起大学毕业不久，有一次参加在台北武昌街精工画廊的一个当代名家画展。要知道，那已经是名家展，包括了张大千、黄君璧、林玉山等大师，而我居然能在被邀请之列，岂不沾沾自喜。但是就在这时候，来参展的张德文教授在看了我的作品之后，赞赏地说："画得真不错！"并指着画上的远山松树，"还是你过去画的样子。"

张教授的这句话也给了我很大的震撼，我回家之后不断地想"还是你过去画的样子"，是说那已经成为我的风格特色？抑或表示我没有新的突破？

我开始了解，由于自己在大学时的作品就已经被历史博物馆送去亚细亚现代美展，而毕业的第二年就"应邀"参加名家美展，靠着聪明得来的虚名，使我在自满中不知反省，结果连基础都有问题，居然还不自知。

同年，我在一篇介绍书法名师曹秋圃先生的文章上，看到"曹秋圃十八岁就教人写字，但是三十二岁才自觉不足，而真正下功夫练字"。又在与林玉山教授的谈话中，知道他二十二岁从日本留学三年归国，开始担任两个书画社的指导老师，并因连续获奖，在二十七岁获得台展"免审查"的殊荣之后，自觉不足，而结束家里的业务，再去日本京都深造。

不久之后，我也辞去了中视的工作，来美国留学。因为我知道自己不足，而在国内的得意与四周的掌声，却使我

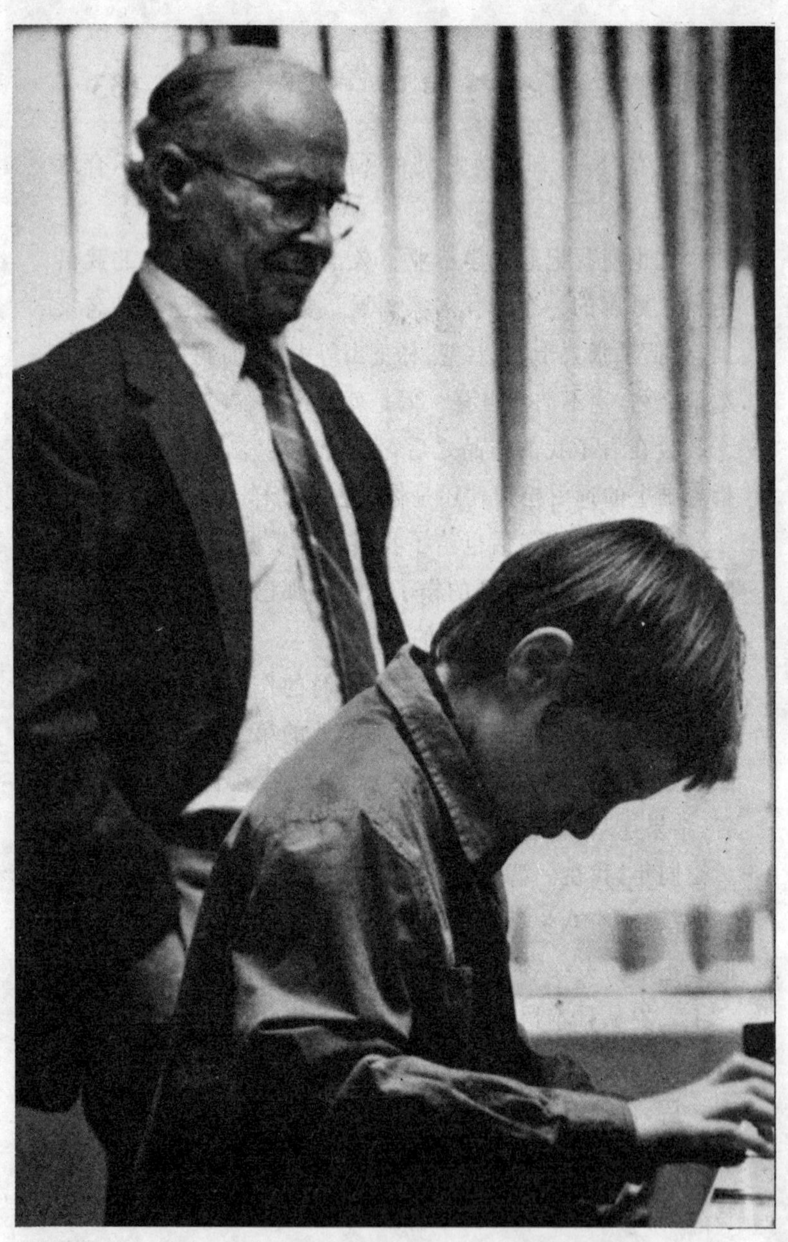

▲指导学生弹琴的艾司纳教授。(取自朱丽叶音乐院简章)

难以自省。

而今天，我的孩子居然犯了跟我同样的毛病。其实这是我早觉察到的，譬如我听你弹琴，初学一首曲子，往往觉得感性不差，但是当你真正熟练之后，在那十指齐飞、炫人耳目的技巧之外，内容却变得贫乏。

我每每在你演奏会中，大家高呼 Bravo 时，看到你面有得色，也回想到自己的大学时代。所以常对你说：你是“山中无大木，小草也为尊”，实际跟大师相比，可能连一个小节都听得出差异。

也就因此，我曾提出俄裔钢琴大师哈洛维·茨(Vladimir Horowitz)的演奏和你讨论，发现高龄八十多岁的他，直挺挺地坐着，十指似乎轻松地搭在琴键上，面部和身体的表情不多，指下却流动出如此紧密、清晰而含蕴无穷的琴音。说实在话，他所弹的曲子，许多都是你早就练过的。问题是：他在同样的琴键和音符中，却说出了那么多微妙的东西。他快速的音阶如果表现得像是一颗颗圆熟完美的葡萄，你所表现的却可能有葡萄果酱之嫌。

年轻人！我相信艾司纳教授对你的感觉，就像是我看到一个已经学画十年，又来拜师的学生，面有得色地展开他巨幅的作品，在看来云烟叆叇、气势磅礴的画面中，却发现他连树枝都画不好的惋惜。

站定脚步！从头开始！你会发现在那华丽的音符和看来娴熟的技巧之后，还有太多不知道的东西。当你退回起点,沿着以前走过的路再行一遍的时候,会发现那路边有许多珍宝,是你过去只愿一味向前冲,而不知拾取的。于是同样的路,你再走到今天同样的位置,却可能已经是极为富有的人。

所以我说:你现在需要的不是聪明,而是那甘愿重新来过的傻劲!

每个人心中都应该有这么一个堡垒：在人生的战场上，他可以一站一站地败退，但是到那最后的堡垒时，就算下面仍有退路，他也要坚持地与那堡垒共存亡。

最后的堡垒

昨天晚上菲司来上课的时候，又是“空手到”，连半张作业也交不出来，而且在我为别的学生改作业时，她还不断打呵欠，真是失礼极了！但是下课的时候，她却对我讲了一段耐人寻味的话，使我一扫心中的不快。

她说：

“自从到房地产公司做事，每天一大早就开车带着客户看房子，往往要忙到天黑，回家还得整理房地产的资料，实在是精疲力竭，没有能力继续学画。可是想想，如果把这已经从事了四五年的唯一嗜好放弃，我的人生还有什么呢？所以告诉自己，无论多忙多累，绝不停止学画，就算拿不出作业，看看别人的也好！”

这使我想起宋代女词人李清照在《金石录后序》里的一段话。当时北方的金人侵入中国，宋室南渡，兵荒马乱之际，李清照的丈夫赵明诚突然奉命独自到湖州去上任，临行时李清照问她的丈夫，如果情势不好该怎么办？赵明诚回答：“跟着大家逃难，非不得已的时候，先抛弃辎重，其次丢掉衣被，再其次将画籍卷轴放弃，甚至古器物也可以扔，唯有所谓宗器，绝不能失去，宁可自己背着、抱着，与身共存亡。”

每当我看到这一段，都觉得赵明诚未免有大男人的沙文主义，把收藏看得比妻子的命还重要。但是又想，如果将逃难时的妻子换成赵明诚本人，他也会采取同样的抉择。这是因为在他的心中，“宗器”是绝对不可失去的东西。仿佛作战时，在许多军人的心里，都有自己最后的堡垒，他可以一站一站地败退，但是到最后的堡垒时，就算下面仍有退路，他也要坚决地与那堡垒共存亡。

我们每个人的心中都应该有这么一件宝物或这么一个堡垒，在平常或许并不显明，唯有紧要的关头，才突出它无可动摇的地位。

在你的心中，可有这么一处？永远维护着、固守着、绝不退让！

快乐的条件，非但不是无忧无虑，而且可能是有忧有虑！快乐是要付代价的！要被爱，更要去爱；要获得，更得付出！

快乐是什么

“快乐是什么？”

“快乐是无忧无虑，没有负担！”

这是你给我的答案。但是我却要说：

“快乐很可能正是在有忧有虑、有负担之间所能享有的一种欣悦，如果真无忧无虑，只怕反不知什么是快乐了！”

记得我在你的这个年龄，常看着大学生，心想要是我进入大学之后，没有了大专联考的压力，该多快乐！但是既成了大学生，又羡慕踏入社会的人，想他们不用应付功课、考试，该多快乐！而在自己真正进入社会，又想如果能每日不用固定上下班，该多快乐！可是来美国之后，学校的课不多，大半的时间可以由我自己支配，要怎么睡都成，却发现因为闲而发慌。直至找到研究的目标,才觉得快乐。

所以我也常想:“快乐是什么?”我认为快乐就像安宁的感觉,如果把我们放在完全隔音的房间里,一点声音都没有,我们不见得会感觉宁静,甚至因为从体内会有一种嗡嗡的声音进入脑海,而感觉得发慌。反倒是置身林野之间,鸟语、虫鸣、竹韵、松涛不断地流入耳际,能给予我们宁静的感觉。

同样的道理:如果一点让我们费心的东西都没有,固然会有短暂的快乐,接着却可能手足无措,发觉生活失去了重心。

这又使我想起,或许可以用“爱”的道理来解释。

当我们小的时候,觉得快乐就是被爱、被呵护、被照顾得无微不至。但是年长之后,却渐渐发觉,快乐是要“去爱”,所以会去养小动物,明明知道它们不懂,却对着宠物讲话。我们更会去爱子女,明明知道他们回报的与父母付出的不成比例,却一厢情愿地爱。甚至当子女成家之后,年老的父母还是为他们操心。至于没有子女的人,则可能参加许多公益活动,照顾残障、孤老,乃至保护野生动物。

看那些抱着孩子跑医院的父母,和每天睡晚赶早,忙着公益事业的人,谁说他们无忧无虑?谁又能说他们不快乐呢?

有人研究什么是最快乐的工作,结论是能够从头到尾都参与的工作。譬如你自己盖一间房子,从设计、选料、施工到装潢,当房子终于落成的时候,便是最快乐的时刻。

又譬如你接到公司交下来的一个工作,从构思、人事安排、联系运作,到验收结果、达成目标,看着由无到有,是最快乐的。

同样地,由孩子的诞生、哺育、教养,到长大成人、成家立业,那付出无数心血的父母也是最快乐的。

可是你想想,盖房子时设计、选料、施工、装潢,工作的构思、人事、推展,乃至孩子的哺育、教导,哪一样是不令我们操心而没有负担的呢?

从以上这些点归纳起来,你应该知道:

快乐是要付代价的!要被爱,更要去爱;要获得,更得付出。快乐是在我们的生活中先建立目标,并完成它。而就在这完成的过程中,在那忧心与释怀、走入困境与突破万难之间,我们享有了真正的快乐。

快乐就是完成理想、完成生命,就是由无到有地创造,从这一站到下一站的旅程。

快乐也就是积极的生活!

如果举重的人压伤了脊柱，赛跑的人拉伤了肌肉，投球的人扭坏了手肘……

体能与技巧

你对我抱怨地说，虽然练了一个暑假的篮球，却在比赛时打不了多久就累不可支，似乎体力不如人。

我想这固然显示你的体力较差，但也可能表示你的技术有问题。

因为体育活动除了是体能的活动之外，更包含了技巧与智慧，如同用杠杆和滑轮举东西，当你使用恰当的工具，能有所谓“四两拨千斤”的功能。也就因此，当我们练网球时，第一件要学的是握拍的方法和手臂的屈直，如果起步的基本动作不对，不但球打不好，而且可能伤到身体。相反地，当你使力的方法正确时，则能以较少的力气，击出较佳的球。

记得今年暑假，我有一次跟朋友去游泳，我游的是多年前自己练出来的蛙式,虽然在岸上的体力绝不比同行的朋友差,可是在水中,不但游得不如他快,而且游不久就累了。朋友笑问我,为什么每次拨水时手臂都不伸开,又不拨到底,看来十分忙碌而滑稽。我想这应该是我容易累的原因。我以为手动得快,就能游得快,岂知用出去的力量,多半都被自己匆忙而不完整的动作抵消了。

这也使我想起刚进中视播报新闻的情况,许多人都批评我播得太快,给人上不来气的感觉。但是当我播久了之后,虽然速度丝毫未减,予人的感觉却从容而游刃有余了。这主要是因为我把快慢的节奏掌握得好,使能快的句子瞬间带过,碰到重要的字眼,又能放慢速度,使观众听得特别清楚。加上脸部表情的自然和其中恰当的顿挫,所以原本很快的速度,反而让人觉得从容。

同样地,当我像你这个年岁,也不擅于打篮球。每次比赛,抢球时猛跳,却因为抓不准时间,而总是抢不到;截球时,又双手乱舞,想以密不透风的动作拦阻对方传球,碰到差的对手固然有效,遇见高手却毫无用处,最后往往累得上气不接下气而先行退场。

其实这种运动技巧的问题,不仅发生在初学者的身上,许多资深甚至已经跻身顶峰的选手也可能遇到。譬如华裔溜冰好手,被称为中国搪瓷娃娃的陈婷婷,就因为使用肌肉位置的不当,而再三遭遇到挫折。

运动应该是刚柔并济的。如果举重的人压伤了脊柱,赛跑的人拉伤了肌肉，投球的人扭坏了手肘，不是由于他们过度练习，就是有了技术上的错误。因此，当拳击赛时，有一方已显然不支，虽未倒地，裁判也会判定比赛结束；当医学界发现少年选手投变化球，可能有碍手肘的健康发育时，更会建议禁止小选手练习变化球。

运动的精神，是达到体能的极致，并发挥身体的最大潜能，而非不自量力地硬拼。所以当你觉得体能不济的时候，应该以渐进的方式提升，而不要勉强。更应该检讨一下，是不是在基本的技巧上出了问题，而非逞一时之勇。

▲纽约哈德逊河上的游船。

当车子在四十分钟之后，从密雪中缓缓驶近时，我才发现自己竟已陷入了半英尺的雪中。

在风雨中成长

我知道你今天有些失望，因为经过长久计划的环河之游，却遇上了难得一见的风雨，虽然我们由甲板移入船篷内，还是被斜斜飘入的雨水淋湿了。

或许你会想，如果不是为帮妈妈工作，而在上星期风和日丽，学校未开课时去该多好。或许你会想，何不下个月，等我有空时，再捡个日子前往。

但是你要知道，什么是一家人，什么叫 Family Ties，上星期如果在没有你母亲同行的情况下，我们去游河，当你看到美丽的景色时，会不会想，如果妈妈也能看到该多好？

而如果我们延到下个月，纽约的天气转入寒冷的暮秋，在你观赏自由女神海湾的景色时，会不会担心，海上来的寒风，会使八十岁的祖母受凉？

如此说来,我宁愿一家人在今天的风雨中同行。

况且,风雨中的景色何尝不美呢?当密雨像是轻纱般在河面上牵过,远远的帝国大厦,尖端隐入浓云,岂不是比晴朗的日子更有味道吗?

当自由女神生着铜绿的身躯,被雨水淋透,在后面灰暗天空的衬托下,不是更来得明艳而鲜丽吗?

还有,当我们穿过哥伦比亚大学的北方,看到哈德逊河时,近处岸边树木盎然的翠绿,与远方凄迷的河谷对比时,不是更来得悠远,而令人有一种怆然的情怀吗?

而当我们坐的大游船经过小船时,特别放慢速度,使水波不致过度激荡,而每一个帆船,都降下一半船帆,使自己不致因为强风而樯倾桅折的做法,不都是给我们最好的教育吗?

你要知道,在我们的生命中,不总是风和日丽的,但是有些人在凄风苦雨里,却能咀嚼出另外一种美,也只有这种人最经得起打击,也才称得上懂得人生的情趣。

记得我在你的年岁,曾经看过一部叫《日瓦戈医生》的电影,其中最令我难忘的,是当日瓦戈医生的家被充公,只身逃往西伯利亚的途中,车内拥挤不堪,人声嘈杂,日瓦戈却拉开小车窗,静静欣赏外面乌拉山的雪景。

当我初到美国的时候,正逢冬天,有一次站在露天等车,突然下起大雪,我便学日瓦戈医生的苦中作乐,静静欣赏附近枯树在雪中的变化,还有小鸟们如何不断抖动翅膀、扑落雪花的样子。而当车子在四十分钟之后，从密雪中缓缓驶近时，我才发现自己竟已陷入了半英尺的雪中。

所以，我爱今天这样的风雨，也希望你爱它，因为我们都是经历风霜雨雪，才能长大的。

有一个老农，每日带孩子下田耕作，有一天突然把田地交给孩子说："过去我只逼你辛勤地工作，要你只问耕耘，不问收获。但是从今天起，我不逼你工作，却要只问收获，不问耕耘！"

只问收获

昨天晚上你抱怨地对我说：

"您明明讲现在我长大了，可以自己支配时间，不再逼着我去弹琴和读书，可是却要不断地问我成绩，使我仍然感觉到压力。"

现在让我告诉你，那没有错！当我不再盯着你去做每一件事的时候，并不表示我不再要求你，而是希望你能用自己的判断力，决定事情的缓急轻重。当我不催你去睡觉时，不是不再顾虑你的健康，而是希望你由前一天迟睡，第二日疲困的经验中得到教训。当我不逼问你过几天可能考哪些科目时，是希望你由拖延积压，以致临时抱佛脚的困窘中得到教训。

所以对于你，我好比一个总是带着孩子下田的老农，有一天将土地交到孩子手中，要他自己看日子播种，看情况浇灌施肥。我试着不再即刻纠正你的错误，以免除你长久养成的依赖，却要告诉你：

“过去，我只逼你辛勤地工作，要你只问耕耘，不问收获。但是从今天起，我不逼你工作，却要只问收获，不问耕耘。”

其实这个世界就是如此，我们对于自己，固然可以讲“只问耕耘”，以求心安。但是别人对我们，却常常“只问收获”。即使是赌徒，都只问他下桌时能带走多少筹码，又何必计较他上桌时有多么地阔绰？

所以以短程而言，不论你用什么方式读书，或玩要占去你多少时间，只要你诚诚实实地考试，拿出的成绩好，就是成功。就中程而言，不论你高中几年的表现如何，只要你能进入好的大学，就是成功。就长程而言，就算你根本没进过什么学校，只要有成就，对社会对人们有贡献，也就是成功。

而现在，我所看的是短程。你尽可支配你的时间，做你要做的事，拖到一两点钟不睡，打几十分钟电话不放，只要你学期的成绩好，我就没有话说。因为，那是你的本事，你有条件玩，有资格拖！而非父母一步一步逼出来的。

尽管如此，我也无法保证你以后成功，因为今天我可以逼你的成绩好，明天可以逼你上好的大学，当有一天你进入社会，又有谁能逼你？如果你自己不给自己压力，要求自己出人头地，到后来，还是可能失败。

所以，我承认，仍然在给你压力，只是由问耕耘，到问收获。而我相信，这种压力，绝对是好的。只要我知道怎么将短程目标的要求，转为中程，再逐渐交到你自己手中，使你能自我要求，必能帮助你在人生的旅程上获得成功。

我常想，在美国的中国孩子多半比西方孩子表现好，不只是因为中国人聪明，实在主要还是因为父母的要求。换成你的话说，也就是父母施加子女功课上的压力。问题是，那些子女进入了好的大学，后来得到研究所学位的比例远超过西方人，而今更在各界崭露头角，你能说这压力没有用吗？

当你昨晚向我抱怨时，你应该记得电视上正转播冬季奥林匹克运动会的花样溜冰，你可看见那些选手比赛后等着看成绩的大特写？他们的手、腿都在轻微地颤抖；你又可曾看见，当溜冰者滑倒在冰上，立刻挺身而起，追上音乐节拍，扮出笑容溜完全程的样子？在他们优美的舞蹈、可爱的笑脸后面，隐藏的是什么？

是压力！来自国家，来自对手，来自现场，来自他们自己，也来自每一个爱他们以及他们所爱的人！

而在这种强大的心理压力下，他们只要有一条肌肉稍稍地僵硬，有一点速度微微地减慢，可能就会在世界数亿的观众面前摔倒。最重要的是:金牌只有一个,最后绝大多数的人,都将黯然归去。

年轻人!生物就是在竞争中成长与进化的。有竞争,就有压力,只有具备最强的实力,又能忍耐最大压力的人,才能站到巅峰。

在学习间工作，是一般人所谓的打工。

在工作中学习，则是打工者应有的态度！

打工

你在信中告诉我，暑假以来打工已经赚了五百块美金，真是让我高兴。不是因为你赚了钱，而是由于其中所具有的意义。

首先，我相信当你拿到第一笔报酬时，心里一定是非常兴奋的，因为那是你十五年来，靠自己劳力赚取的第一笔钱，表示在你向这个世界索取了十多年之后，开始能够回馈，开始有了贡献。

你要知道，一个生命真正地被肯定，绝不是在他的消耗期，而是在他的贡献期。我们甚至可以说，如果一个人成年之后，离群索居地隐世，就算他有再大的学问，如果从来不能发挥，死后也不能留下什么，那么他的存在，对这个世界就毫无意义。所以,今天你拿到报酬,它是酬劳,也是回报,是社会对你付出的一切,给予的回报。对我而言,那酬劳不重要,而你付出的这个行为,才是要紧的。

其次,相信当你拿着自己辛苦赚得的钱时,会觉得那特别重,也特别轻。特别重的原因是它非不劳而获的,是你早起晚睡、奔波劳累之后的成果,所以你会珍视它。特别轻的原因,是因为它完完全全属于你,所以你有最大的支配权,不必像从父母那里拿到的钱,随时要考虑使用的方法合不合旨意。如果能这样,钱对于你才真算是钱,因为一个不劳而获的人,钱对他没有意义;一个拿着钱不敢用的守财奴,钱对他也没有道理。只有赚取它、珍视它、把握它、使用它的人,才算是懂得钱的意义。

至于你这暑假打工最让我高兴的,是你工作的性质,虽然那只是帮助希腊人协会设计电脑程式,并输入会员资料,但必然使你处理电脑程式和打字输入的能力增加。这让我想起初来美国时,看见一位学长批评他的弟弟:"如果你只是在餐馆短期打工,当然无可厚非,但是假使长期打下去,十年之后的你,除了能多记几道菜名、多端几只碟子,对你原来在学校所学的,又有什么帮助?只怕还要退步了!所以打工的钱再多,如果与所学的无关,又不能成为一项事业,就不值得长期做下去!"

他的这几句话,虽是用来教训弟弟的,却让我听在耳里,成为自己打工时取舍的原则。在美十年来,我也确实发现，那些学法商而在律师楼、会计师事务所打工的大学生，和在医院、药房、实验室打工的中学生，往往在工作中学到许多东西，引导他们走上未来的成功之路。

在学习间工作，是一般人所谓的打工；而在工作中学习，则是打工者应有的态度。

有一个艺术家，带着心血之作，坐飞机出国展览。临行，他交给妻子一套作品的幻灯片，说："如果飞机失事，我与作品俱焚，则将这些幻灯制版印刷出来，为我的绘画生命留个见证！"

退路

今天，当我知道你把设计一个多月才完成的电脑资料，借给同学，自己却未留底的事，真是吃惊极了！因为我发现你犯了一个严重的错误，也就是不为自己留后路。

记得当我像你这个年岁，初参加登山队的时候，每次在树林里遇见岔路，领队总命令我在路边折一根小树枝，指向来时的方位。至于草木不生的高峰野岭，则叫我四处找小石块，排列出先前道路的指标。

每当我看见队伍已经开拔，而自己仍在四处找石块时，都抱怨这无谓的做法。直到有一天，大伙在深山里迷了路，无法到达目的地，而不得不退回原路时，才改变了我的看法。

当时天色已经转暗,我们不得不以最快的速度撤退。大家几乎是用跑的方式穿越密林,而每当遇到岔路口,我立刻由断枝的记号指出方向,使全队能及时退到安全地点。而我,这个总是在后面做指标的小子,居然变成了当时的领队,全队的安全竟系于我一身呢!

你说,那折树枝与排石块,能说是无谓的举动吗?何况对于你来讲,只要将电脑磁碟片插进机器,用不了几秒钟就可以拷贝完成的事。

谈到拷贝(copy),使我又想起影印机,自从它普及之后,许多人都不可一日无此君。但是如果你做个统计,就会发现,人们影印的东西,实际上大部分都没有绝对的必要。他们付款之后,常把账单留个影本;送出各种申请表格之前,也总是影印留底;信件更是影印存档,甚至做成好几份影本分送有关人员。我们可以说,不影印,事情不会停摆;但更可以讲,由于件件存底,便于查考,使繁忙的事务能被安排得有条理,也做得更顺。尤其重要的,是当送出的资料遗失时,由于存有影本,而能及时获得补救。

所以,影印机普遍之后,挂号信的数量便减少了,这并非由于平信邮误的降低,而是因为寄信人早预留了退路。

退路就是这么简单,它只是退一步想,做一个相反的假设。譬如办游园会时设遮雨篷、跳伞时带一份备用伞、飞机上准备逃生器、高楼设置防火梯,虽然没有人希望用这些东西,即使用,也不见得百分之百管用,设置时反要增加许多麻烦。但是,毕竟退路可以使我们不至于一败涂地。它为你在绝望时带来希望,如此说来,"退路"何尝不是另一种"进路"。

我有一个朋友,带着他画的心血之作,坐飞机出国展览。临行,他交给妻子一套作品的幻灯片,说:"如果飞机失事,我与作品俱焚,则将这些幻灯制版印刷出来,为我的绘画生命留个见证!"

希望你能由这几句话中思考,有一天了解:退路不仅是为活着的时候,也为死了之后;不仅为有限的生命,也为千古的事业!

在二次世界大战的纳粹集中营里，有些犹太艺术家，明明知道自己即将被推进煤气室，却伸出他们骨瘦如柴的臂膀，以自己仅有的一点食物，向人换取炭条和铅笔，创作出他们生命中最后的作品。

天才是什么

最近常有人赞美你是天才，我听了只是摇头苦笑。

因为若没有父母盯着你练琴，你就不会去弹；没有我把石膏像放在你面前，并递上纸笔，你就不会去画；没有我逼你作文，你就不会动手；没有我交给你一本世界名著，你就不会主动去念；没有父母逼你念书，你也可能马马虎虎地应付功课。

所以，虽然你在各方面的表现都很杰出，我却私下对你母亲说，你只是过人地聪明，仍然算不得是个天才，如今小时了了，长大之后未必能成。除非你有那种内在、自行激发的能力，主动地、不断试图超越自己的冲动，和锲而不舍、百折不挠的精神。

这就是天才所特具的一种气质，它不见得是过目不忘、一目十行的高度智商，而是一种说不出的，对任何事务自然所具有的怀疑态度、好奇的想法，与不达目的绝不终止，近于傻的冲劲。

中国有句话叫“苦心孤诣”，非常适合用来形容天才做事的态度，因为天才所追求的目标，常常难为外人了解；他们做事的方法，也常难为人所接受；他们的苦心奋斗，常会伤害自己的健康，造成天才体弱或容易早夭的现象。他们更常因为孤诣而孤独。

但是若不能忍耐孤独，又如何站到巅峰呢？巅峰只有一点点，容不下许多人站，所以不仅遭遇到的风大，而且旁边是难有扶持的，受不了风寒与孤寂的人，就无法成为天才。

记得在一九八八年冬季奥运会闭幕式的时候，负责转播的美国 ABC 电视台评论员说了一句耐人寻味的话，他说：奥运的真正精神，是把我们自己硬推到自己的极限之外(Push your own limits)。这句话也适合形容天才，只有那种不向自己既有的能力屈服，不满足于既有的成就，总是试图超越自己，抱着一种不服、不平，甚至愤懑，以自己为敌，追求突破的人，才可能称得上天才。

也就因此，天才才会看来有几分神经质，或被人看成疯子，当然他们加诸自己身上过大的压力，也确实常会使他们崩溃。譬如爱迪生小时候，曾经被学校老师怀疑为低能儿；有诗鬼之称的唐代诗人李贺，由于早晚不停地写作，连他的母亲都认为自己的孩子只怕要呕出血来才能停止；印象派大师梵高，不但割下自己的耳朵，更结束了自己的生命。

我说这许多话，不是要教你去效法李贺、梵高般透支自己，而是告诉你，你虽然是一个学什么像什么，甚至能青出于蓝的人，但是不论你的文章、绘画、弹琴目前有多么好，只要那不是出于你内在学习冲动而获得的成就，便全不算一回事。

年轻人！如果有一天，我不准你写作、不准你弹琴、不准你绘画，甚至不准你念书，而你却千方百计地自己追求。

如果有一天，你工作繁重，乃至生计无着，拖着疲惫饥饿的身子回来，却仍会提笔，一吐你胸中的块垒。虽然不一定成功，也不一定会被任何人肯定，却可以自己对自己说：我是个锲而不舍的天才。

在二次世界大战的纳粹集中营里，有些犹太艺术家，明明知道自己即将被推进煤气室，却伸出他们骨瘦如柴的臂膀，以自己仅有的一点食物，向人换取炭条和铅笔，创作出他们生命中最后的作品。

当你被我硬是塞上纸笔画出一幅好画时，我要问，在你心底可有他们那种“生死与之”的创作原动力？

如果没有，你就不可能成为天才！

一个“小留学生”，穿GUCCI名牌服饰，拿NIKON相机，开TOY-OTA跑车，是高中辩论队代表、校刊编辑和曲棍球队员，得最好学业成绩，录取加州大学柏克莱分校，且兼了九个家教，月入千元美金，父母却不在美国……

现代青年

昨天在大都会美术馆，我遇见了一位中国小留学生。

他留着时髦但不流气的发型，看来成年，脸上却还带着几分稚气。穿着米白色印着GUCCI大字的休闲上装，配白色的长裤和皮面的运动鞋，不时举起NIKON相机，以非常娴熟的动作测光、对焦。虽然初次从加州到纽约玩，却对美术馆有了很深的认识，原因是他在未来之前，已经阅读了有关的书籍。

中午我邀他在馆里共进了午餐，看得出他有极佳的餐桌教养,说话的音量和对侍者的询问,都显得恰到好处。谈话中,我知道他马上就要进入极著名的加州大学柏克莱分校念书,并立志将来从医。我好奇地问他如何能申请到柏克莱,高中的成绩如何?他先谦虚地告诉我在加州的居民比较容易申请,又说他高中拿了四点二,接着解说——四代表A的成绩,多出来的零点二,则因为在高中已经选了大学的课程,所以获得加分。

我又问他高中参加了什么课外活动,因为像是长春藤联盟(Ivy League)这类名校,如果没有好的课外活动(Extracurricular Activities)记录,学业成绩再高,也不能保证录取。

他回答我,参加了辩论队,代表学校出席许多学术竞争,编了一年校刊,并是曲棍球的中锋。

我举杯向他致敬,说很高兴遇见这么一位杰出的青年,也无怪他申请每所名校都会被录取。我尤其佩服的是:他居然是一个父母都不在身边,来自台湾的小留学生。

虽然家里的经济情况并不太好,但是他开着一辆时髦的TOYOTA跑车,他说买日本车的目的是省油,因为高中最后一年,他平均每周要赶九个家教,指导邻镇中国孩子英数理化的功课,虽然使他一个月有千元美金的收入,但是大半的时间都花在开车的途中。

“您知道吗?我的车子才买半年,就开得超过了一万英里。”他对我说。

而我真正好奇的，是他怎么还能有时间，在学业及课外活动上，有如此卓越的成绩。

从大都会美术馆回程的路上，我细细地思索这个问题，发觉对你的教育方向似乎应该有所改变，这并非我过去督促的方式有偏差，而是因为时代已经不同。

在台湾，我常看到应该是同样收入的家庭，却过着完全不同水平的生活。

一种人节俭持家，连张擦过嘴的卫生纸都舍不得扔，要再拿去擦桌子；锅铲的把子都已脱落，还要包上废布将就地使用。一种人则看来有些浪费，东西过时，立刻换新；报纸隔日，立即抛弃；厨房一尘不染，锅碗非常简单却永远光鉴如新。

依照过去的理论，当然是前面那户俭朴的人家，能够有较佳的生活。但事实却是后者不仅生活品质好得多，经济也显然比前者强。而据我观察的结果，是因为后者不但在生活上有现代的观念，在理财上也有较新的方法，使他们在孳息、投资上都获得不错的利润。渐渐地，这两种家庭走入了不同的社会层次，新者愈新，旧者愈旧，距离是愈差愈远了。

同样地，农业时代，靠招牌、信用的老店，如果依旧维持过去那种堆货的方法、昏暗的灯光、缓慢的速度和一成不变的样式，可能也将被新式的经营所取代。

因为过去五货杂陈，表示店里东西多，今天看来却显示乱而缺乏管理；过去一边跟顾客磕牙，一面慢慢包装算账，表示优雅而有人情味，如今却显示了效率差；过去一成不变，表示老字号货真价实，现在看却是不求改进。当环境不断变迁，凡是不跟着适应的就容易落伍，也就会被淘汰。

现在回到正题，过去读书成绩好的学生，往往能成功，在今天这个时代，却可能因为无法适应周遭的环境，即使以第一名毕业，也难有杰出的成就。

如果现代经营的理论是以促进消费来刺激生产，过去是以节约消费来积蓄财富，那么过去设法少让子女参加活动及打工，以集中精神念书的态度，是不是也应该改为多让子女在外发展，从发展中产生更大的冲力，对知识更深切地求取，也对未来产生更大的憧憬呢？

过去常是父母为子女计划未来，现在是否应该让子女到相当的年龄之后，就自己计划未来，父母只担任参谋的角色呢？

从那个年轻人的身上，我看到了一个以环境激发潜力，将时间作最有效分配，以一种积极态度投入社会，而不是被动走向社会的青年形象。

他穿最讲究的服饰、用名牌的相机、开流线型的跑车、做九个家教、在高中修大学的课程，且参加许多活动。他以服饰、车子满足了年轻人的虚荣，以做家教来付每月五百多块的分期付款及保险费，又以车子载着自己参加活动、担任家教，争取了许多时间，且能够掌握每一分钟，在学业上有最佳的成绩，并用他的成绩，征得信任而获得家教，不正是

▲在大都会美术馆遇见的中国小留学生，后来寄给我的照片。

以促进消费来刺激生产吗?

过去我一直使用大部分中国家长的方法,推着你向前走,今天突然对自己的方式产生了怀疑,因为站在上一个时代与瞬息万变的未来之间,我有了许多彷徨。

你认为自己应该选择哪一种生活方式呢?

一个赴大陆探亲归来的老兵感慨地说：

“我已经去看过八十岁的老母。四十年，母亲还是母亲！可是四十年，母亲又已经不是母亲了！”

美好的星图

明天一大早，我就要陪着你的祖母到祖国大陆去了！住在香港的华商酒店，我一时无法成眠，于是提笔写这封信给你。

旅馆的窗外，正对着香江，白日繁忙穿梭的船只显然减少了，但是原本并不十分抢眼的九龙建筑，却织起了一片灿烂的灯海，而在那片灯海之后，则是我即将叩访的故国。

今午，当飞机经过一个钟头十五分钟，抵达香港的时候，你的祖母惊讶地问：“怎么这样快就到了？”

“因为近哪！从这儿飞北京，只要不到三个小时，如果有一天从台北能直飞上海，恐怕一个多钟头就够了！”我回答。

▲庭院及屋檐上长满秋草的北京紫禁城。

确实，四十年的分隔，使绝大多数的中国人，都以为台湾与大陆是非常遥远的，远到父母、夫妻、兄弟和那许许多多的亲人，一别就是四十年，甚至天人永隔。

这也是为什么你的祖母坚持要在今年回去，她怕再不去，那剩下的几个亲人也见不到了！

今早我们在台北启程时，楼下管理员一面帮着搬行李，一边说："我已经去看过了八十岁的老母。四十年，母亲还是母亲！可是四十年，母亲又已经不是母亲了！"

听来多么没有道理，却又有着无限道理。多么动人的一句话啊！从那个十九岁离开故乡，而今已经白发的退伍老兵的嘴里说出来！

但是，你知道吗？也有一个老兵的妻子对我说："小心啊……我的丈夫连鞋子都脱给了他的兄弟，穿一双破布鞋回来，差点让我不认得！"

我没有注意她说话时鄙夷的眼神，却想象到，那老兵临别时，将鞋子脱下来与兄弟交换的画面，那是那么感人！多么凄怆！而那情，又是何等地深长！岂是他那年轻妻子所能了解的？

这也使我想起纽约的一个朋友，七年前第一次由大陆返回美国，立刻大病一场之后所说的话：

"我不是身体病了，而是心灵病了！从大陆回来之后，我夜夜做梦，常常从梦中哭醒。我不了解上帝为什么那样不公平？"

所以当那老兵的妻子对我抱怨她的丈夫之后，我不客气地说：

“怎能怪你先生呢？在他的兄弟曾遭遇极左的苦难，在他的亲人可能因为他，而被打为黑五类，自己不能有好的工作，子女不能进高等学府，甚至下放到农村……你的丈夫不过留下他穿去的衣裤、鞋子，对于他是随时可以买到的东西，难道这一点心意，也是罪过吗？”

凭什么我们要享受如此的富足？我们应该觉得惭愧，愧对自己未能及早帮助的亲人。我们非但不能瞧不起这些历经浩劫的同胞，反而应该觉得自己亏欠了他们，才对啊！

幸福不能独自占有，正如同满天的星星，不是只有住高楼的人才能欣赏。此刻香江的灯火，像是地上的一片星海，明灭闪烁。我却衷心盼望，那地上繁华的星海，能像天空一样均匀，从这里、香港、九龙、新界，一路铺满下去，到杭州、上海、北京、甘肃、新疆、内蒙古……

哪怕山间小小的村落，有一天，也能展现一片美好的星图！

刘墉的著作

（暨一九九〇年后之活动）

文艺理论：

《中国绘画的符号》（《幼师文艺》·1972）

《诗朗诵团体的建立与演出》（《联合报》·1981）

《花卉写生画法 The Manner of Chinese Flower Painting》（中英文版）（纽约水云斋·1983）

《山水写生画法 Ten Thousand Mountains》（中英文版）（纽约水云斋·1984）

《翎毛花卉写生画法 The Manner of Chinese Bird and Flower Painting》（中英文版）（纽约水云斋·1985）

《唐诗句典（暨分析）》（水云斋·1986）

《白云堂画论画法 Inside The White Cloud Studio》（中英文版）（水云斋·1987）（太平洋文化基金会奖助）

《林玉山画论画法 The Real Spirit of Nature》（中英文版）（水云斋·1988）（太平洋文化基金会奖助）

《中国绘画的省思》(专栏系列)(《中国时报》·1990)

《艺术林瑰宝》(专栏系列)(《财富人生杂志》·1990)

《内在的真实与感动》(《联合报》·1991)

《中国文明的精神》(三十集二十七万字)(广电基金·1992)

《属于这个大时代的丽水精舍》(太平洋文化基金专刊·1995)

画册及录影：

《欧洲艺术巡礼》(中国电视公司播出·1977)

《芍药画谱》(水云斋·1980)

《The Real Tranquility》(英文版录影带)(纽约圣若望大学·1981)

《春之颂》(印刷册页)(纽约水云斋·1982)

《真正的宁静》(印刷册页)(纽约水云斋·1982)

《The Manner of Chinese Flower Painting》(英文版录影带)(纽约海外电视25台播出·1987)

《刘墉画集》(中英文版)(纽约、台北水云斋·1989)

《刘墉画卡》(全套三十四张)(水云斋·1993·1994·1995·1996·1997)

有声书：

《从跌倒的地方站起来飞扬》(刘墉·刘轩演讲专辑)

(台南德兰启智中心·只供义卖·1994)

《这个叛逆的年代》(刘墉演讲专辑)(马来西亚华侨董事会联合总会·只供义卖·1995)

《在生命中追寻的爱》(刘墉演讲专辑)(伊甸社会福利基金·只供义卖·1996)

译作：

《死后的世界》(瑞蒙模第原著)(水云斋·1979)

《颤抖的大地》(刘轩原著)(水云斋·1992)

诗、散文、小说：

《萤窗小语(第一集)》(水云斋·1973)

《萤窗小语(第二集)》(水云斋·1974)(中山学术文化基金奖助)

《萤窗小语(第三集)》(水云斋·1975)(中山学术文化基金奖助)

《萤窗小语(第四集)》(水云斋·1976)

《萤窗随笔》(诗画散文集)(水云斋·1977)

《萤窗小语(第五集)》(水云斋·1978)

《萤窗小语(第六集)》(水云斋·1979)

《萤窗小语(第七集)》、《真正的宁静》(诗画散文小说集)(水云斋·1982)

《小生大盖》(幽默文集)(皇冠·1984)

《点一盏心灯》、《姜花》(水云斋·1986)

《超越自己》、《四情》(水云斋·1989)

《创造自己》、《纽约客谈》(水云斋·1990)

《肯定自己》、《爱就注定了一生的漂泊》(水云斋·1991)

《人生的真相》、《生死爱恨一念间》(水云斋·1992)

《冷眼看人生》、《属于那个叛逆的年代(改写·刘轩原著)》、《离合悲欢总是缘》(水云斋·1993)

《冲破人生的冰河》、《作个飞翔的美梦》、《把握我们有限的今生》(水云斋·1994)

《我不是教你诈》、《迎向开阔的人生》、《在生命中追寻的爱》(水云斋·1995)

《生生世世未了缘》、《抓住心灵的震颤》、《我不是教你诈②》(水云斋·1996)

《寻找一个有苦难的天堂》、《杀手正传》、《在灵魂居住的地方》(水云斋·1997)

活动(不包括在台之文字出版)

1990 再赴中国大陆黄山写生。移居纽约长岛。

应“广电基金”邀请返台,为制作《中国文明的精神》专辑进行评估。

应“有熊氏艺术中心”邀请举行“黄山归来”个展。

1991 向圣若望大学请假三年。

应“财团法人广播电视发展基金会”邀请返台，主持《中国文明的精神》专辑脚本编撰工作。

成立水云斋文化事业有限公司。携子刘轩赴中国大陆考察研究。

1992 画作入藏纽约中华文化中心。三赴中国大陆考察研究。

《中国文明的精神》编撰工作完成。

1993 应邀参加为中正纪念堂中正画廊开幕的“当代名家国画油画大展”。

携子刘轩参加“永不遗忘的心情”活动，为台南“瑞复益智中心”募款。

当选中国美术协会理事。

简体字版《萤窗小语》一、二、三集，《点一盏心灯》、《四情》、《爱就注定了一生的漂泊》由北京友谊出版社出版。赴英、法、瑞、德、比写生。

1994 辞圣若望大学教职。

义卖与刘轩合作完成之《从跌倒的地方站起来飞扬》有声书，为台南“德兰启智中心”募款。

与刘轩展开“从无声的爱到有声的爱”募款活动。

获台南市长施治明颁“台南市钥”。

赴挪威写生。

成立水云斋青少年免费咨商中心。

简体字版《超越自己》、《创造自己》、《肯定自己》及

《萤窗小语》四、五、六、七集由广西漓江出版社出版。

1995 应马来西亚华校董事联合会邀请,前往吉隆坡、新山、双溪大年为侨社义讲。

应邀(免审查)参加全国美展。

简体字版《人生的真相》、《冷眼看人生》、《冲破人生的冰河》由中国工人出版社出版。

应"统一企业"邀请举行全省巡回演讲。

将《在生命中追寻的爱》版税及演讲收入七十二万元(台币,下同)及画卡二十万张捐赠伊甸社会福利基金,并举行为残障人义卖募款活动。

赴意大利写生。

义卖有声书《这个叛逆的年代》(马来西亚董总出版。收入作为董总推展侨教之用)。

应马来西亚《南洋商报》邀请开辟专栏。

1996 当选金石堂"年度风云人物"。《迎向开阔的人生》获选为"年度最具影响力的书"。

义卖有声书《在生命中追寻的爱》("伊甸社会福利基金"出版。收入作为伊甸照顾残障人之用)。

授权汉语大词典出版社出版简体字版《我不是教你诈》、《迎向开阔的人生》、《把握我们有限的今生》、《在生命中追寻的爱》。

应上海汉语大词典出版社邀请,前往上海、杭州、北京等地学校义讲。

应马来西亚华校董事联合总会邀请，前往巴生、槟城等地作募款义讲。

应新加坡世界书展邀请，前往新加坡演讲。

将《我不是教你诈②》版税五十万元及绘画原作等捐赠“伊甸社会福利基金会”，并举行为残障娃娃家庭社区服务专案募款活动。

担任花旗银行“电话送爱心”为残障小朋友募款活动代言人。

获台湾行政部门颁发“特别志愿服务奖章”。

经“金石堂”统计为十年来台湾最畅销作家。

1997 应中国大陆全国性刊物《中学生月刊》邀请撰写专栏。稿费捐赠希望工程。

《杀手正传》(摘录)于《中国时报》连载。

应上海汉语大词典出版社邀请，前往沈阳、长春、北京演讲及签名。并决定将在“汉大”出版诸书之今后全部版税捐赠希望工程。

为盲人制作《从跌倒的地方站起来飞扬》附点字有声书，交“爱盲文教基金会”赠与盲人。

《我不是教你诈①②》由台湾军事部门印供官兵阅读。

为马来西亚华校董事联合总会在全马作五场巡回募款演讲。

义卖画卡为美国“美华防癌协会”募款。

录制《在灵魂居住的地方》附点字有声书，交“爱盲”赠与盲人。

应漓江出版社及《中外少年》邀请，参观“广西出版成就展”，在广西师范大学等校演讲，并前往绵阳等地探视希望工程受助学生。

1998 应邀参加西安“全国书市”的签名售书活动。并在西安、成都、昆明、北京、上海、合肥、杭州等大城市的高校与中学巡回演讲。

版权合同登记号：桂图登字 20—1999—061
原出版者：台湾水云斋文化事业有限公司
版权代理：广西万达版权代理公司

图书在版编目(CIP)数据
超越自己/（美）刘墉著，—2版．—桂林：漓江出版社．1999.8
ISBN 7-5407-1578-2
Ⅰ．超…　Ⅱ．刘…　Ⅲ．随笔-作品集-美国-现代　Ⅳ．I712.65
中国版本图书馆 CIP 数据核字（1999）第 40638 号

超越自己
（台湾）刘　墉　著
*
漓江出版社出版
（广西桂林市南环路 159—1 号）
邮政编码：541002
广西新华书店发行
柳州市印刷厂印刷
*
开本 850×1168　1/32　印张 5.625　字数 108 千字
1999年9月第2版　2000年6月第5次印刷
印　　数：405001—425000 册
ISBN 7—5407—1578—2/I·1035
定价：10.00 元

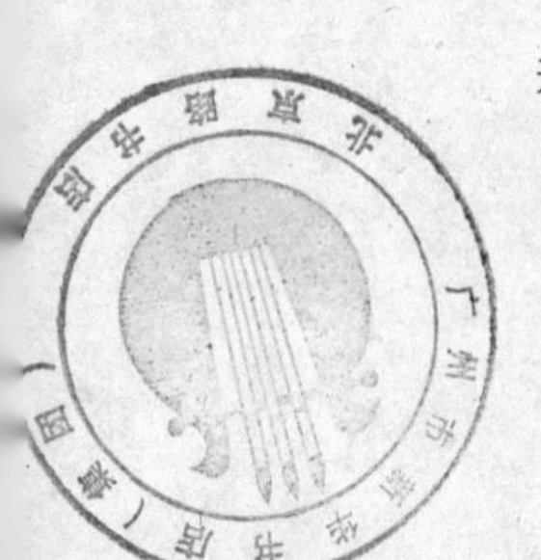